GREGS TAGEBUCH 8

Echt übel!

AUSSERDEM VON JEFF KINNEY ERSCHIENEN

Gregs Tagebuch – Von Idioten umzingelt!

Gregs Tagebuch 2 – Gibt's Probleme?

Gregs Tagebuch 3 – Jetzt reicht's!

Gregs Tagebuch 4 – Ich war's nicht!

Gregs Tagebuch 5 – Geht's noch?

Gregs Tagebuch 6 – Keine Panik!

Gregs Tagebuch 7 – Dumm gelaufen!

Gregs Tagebuch – Mach's wie Greg!

Gregs Filmtagebuch – Endlich berühmt!

Demnächst: Noch mehr Gregs Tagebücher

INTERNET

www.gregstagebuch.de / www.wimpykid.com

Jeff Kinney

GREGS TAGEBUCH 8

Echt übel!

Aus dem Englischen
von Dietmar Schmidt

Baumhaus Verlag

MIX
Papier aus verantwortungsvollen Quellen
FSC® C014496

ISBN 978-3-8339-3649-4

Die Originalausgabe erschien 2013 unter dem Titel
»Diary of a Wimpy Kid – Hard Luck« bei Amulet Books,
einem Imprint von Harry N. Abrams, Inc., New York

Text und Illustrationen: Jeff Kinney

Lektorat: Greta Steenbock
Layout und Typografie: Helmut Schaffer
in Anlehnung an das amerikanische Original
Covergestaltung: Tanja Østlyngen unter
Verwendung einer Illustration von Jeff Kinney
Druck und Bindung: GGP Media GmbH, Pößneck

www.baumhaus-verlag.de

2 4 6 8 7 5 3 1

FÜR CHARLIE

MÄRZ

Montag

Mom sagt immer, Freunde kommen und gehen, die Familie aber bleibt für immer. Wenn das stimmt, kann ich mich auf einiges gefasst machen.

Ich meine, ich habe meine Familie ja lieb, aber ich bin mir einfach nicht sicher, ob wir wirklich dafür gemacht sind, unter EINEM Dach zu leben. Vielleicht wird es später besser, wenn wir uns nur noch an Feiertagen sehen. Momentan jedenfalls gehen sie mir alle ziemlich auf die Nerven.

Es wundert mich, dass Mom immer die Familie so heraushebt, denn sie kommt mit ihren Schwestern nicht gerade gut aus. Vielleicht glaubt sie, sie müsste es nur oft genug vor mir und meinen Brüdern wiederholen, und wir werden anders. Aber an ihrer Stelle würde ich mir nicht allzu große Hoffnungen machen.

Ich glaube, Mom versucht sowieso nur, mich aufzumuntern, damit mir die Geschichte mit Rupert nicht so sehr zusetzt. Rupert war mein bester Freund, seit seine Eltern in unsere Straße gezogen sind. Aber jetzt ist alles anders.

Und das nur wegen einem MÄDCHEN.

Glaubt mir, der Letzte, von dem ich gedacht hätte, dass er eine Freundin findet, ist RUPERT.

Ich habe immer angenommen, später wäre ICH es, der eine Beziehung hat, während Rupert der arme Kerl wäre, der jedem leidtut.

Wahrscheinlich verdient Rupert meine Anerkennung, weil er tatsächlich ein Mädchen gefunden hat, das ihn mag. Aber GEFALLEN muss mir das noch lange nicht.

In der guten alten Zeit gab es nur Rupert und mich, wir hingen zusammen rum und taten, was immer wir wollten. Wenn wir Lust hatten, beim Mittagessen unseren Kakao aufzuschäumen, dann machten wir das eben.

Doch seit ein Mädchen dabei ist, sieht plötzlich alles TOTAL anders aus.

Wo immer Rupert ist, ist auch seine Freundin Abigail. Und selbst wenn sie NICHT dabei ist, kommt es einem so VOR, als wäre sie es. Letztes Wochenende habe ich Rupert zu mir eingeladen, damit wir wieder mal was zusammen machen. Aber nach zwei Stunden hatte ich jede Hoffnung aufgegeben, dass es auch nur ein bisschen Spaß machen könnte.

Und wenn man wirklich mit beiden zusammen zu tun hat, ist es sogar noch SCHLIMMER. Seit Rupert und Abigail ein Pärchen sind, kommt es einem vor, als hätte Rupert überhaupt keine eigene MEINUNG mehr.

Ich hatte insgeheim gehofft, dass es bald aus und alles wieder normal wäre. Aber nichts deutet darauf hin, dass es so schnell vorbeigehen könnte.

Wenn ihr mich fragt, geht es JETZT SCHON zu lange. Mir sind an Rupert kleine Veränderungen aufgefallen: Er kämmt sein Haar anders, und er zieht sich anders an. Und ich GARANTIERE euch, Abigail steckt dahinter.

Aber ICH bin die ganzen Jahre Ruperts bester Freund gewesen, und wenn jemand das Recht hat, ihn zu ändern, dann bin ICH das.
Ich begreife nur einfach nicht, dass man eben noch der beste Freund von jemandem sein kann und in der nächsten Sekunde abgeschrieben ist. Aber genau das ist passiert.

Im Winter haben Rupert und ich ein paar Schneebälle im Gefrierschrank eingelagert, damit wir eine Schneeballschlacht machen können, sobald es warm wird.

Na ja, gestern war der erste schöne Tag seit Langem, aber als ich zu Rupert kam, tat er so, als wäre das unter seiner Würde.

Nun kann ich aufrichtig behaupten, dass ich immer nett zu Abigail gewesen bin. Aber SIE kann MICH nicht ausstehen. Seit die beiden zusammen sind, versucht sie einen Keil zwischen mich und Rupert zu treiben.

Aber wenn ich Rupert darauf anspreche, bekomme ich jedes Mal die gleiche Antwort.

Ich wünschte, ich könnte Rupert klarmachen, was ich davon halte, aber das geht nicht, weil ich ihn brauche, um das Schuljahr zu überstehen.

In Englisch haben wir Mr Blakely, und der verlangt, dass wir alle Hausaufgaben in Schönschrift abfassen. Ich bekomme aber richtig schlimme Schmerzen in der Hand, wenn ich zu lange schönschreibe. Deshalb gebe ich Rupert einen Erdnussbutterkeks für jede Seite, die er für mich schreibt.

Wenn ich jetzt gezwungen wäre, MEINE Hausaufgaben SELBER zu schreiben, wäre die Handschrift nicht mehr dieselbe, und das würde Mr Blakely merken.

Deshalb bin ich an Rupert gebunden, es sei denn, ich finde jemanden, der genau die gleiche Schrift hat wie er und auch Erdnussbutterkekse mag.

Das größte Problem mit Abigail sind aber nicht die Englischhausaufgaben, sondern der Schulweg. Rupert und ich haben uns früher jeden Morgen getroffen, aber jetzt rennt Rupert immer zu Abigail und geht mit IHR zur Schule.

Das ist aus einer ganzen REIHE von Gründen ein Problem. Zum Beispiel hatten Rupert und ich den Deal, dass er vorgeht und auf Hundehaufen auf dem Bürgersteig achtet. Und das hat mich schon ein PAARMAL gerettet.

Außerdem gibt es einen Hund, der es total auf Rupert und mich abgesehen hat. Wir müssen immer tierisch aufpassen, wenn wir an dem Haus vorbeigehen. Der Hund ist ein richtig fieser Rottweiler namens Rebell, und er preschte immer vom Grundstück und hetzte uns bis zur Schule.

Rebells Besitzer musste ihm ein Elektrohalsband verpassen. Jetzt kann Rebell uns nicht mehr jagen, denn wenn er auch nur einen Schritt vom Grundstück macht, kriegt er einen Elektroschock.

Kaum hatten Rupert und ich das rausgefunden, fingen wir an, uns ein paar harmlose Späßchen zu erlauben.

Doch dann fand Rebell heraus, dass er keinen Elektroschock bekommt, solange sein HALSBAND auf der richtigen Seite des Grundstücks bleibt.

Und ohne Rupert als Kundschafter wäre ich mittlerweile bestimmt schon in eine von Rebells Tretminen gelatscht.

Noch aus einem anderen Grund stinkt es mir, dass Rupert nicht mehr mit mir zur Schule geht: Weil es auf das Ende des Schuljahres zugeht, kriegen wir immer mehr Hausaufgaben auf.

Deshalb muss ich jeden Tag fast alle meine Bücher mit nach Hause nehmen.

Mein Körper ist aber für so ein Gewicht einfach nicht gemacht, während Rupert im Grunde ein PACKESEL ist und überhaupt kein Problem damit hat.

Leider ist Rupert genauso bereit, ABIGAILS Bücher zu tragen. Für mich zeigt das ganz klar, dass sie ihn nur AUSNUTZEN will.

Und als Ruperts bester Freund kann ich das kaum mitansehen.

Dienstag

Ich habe eine super Lösung für mein Bücherproblem gefunden. Heute Morgen habe ich mir den Trolley geliehen, den Dad immer mit auf Geschäftsreisen nimmt. Damit war es überhaupt nicht anstrengend, meine Schulsachen zu tragen.

Ich kam ziemlich gut voran, aber das liegt auch daran, dass ich ein bisschen schneller ging, als ich an Mr Sandovals Haus vorbeimusste.

Vor einem Schneesturm steckt Mr Sandoval immer Latten links und rechts von seiner Einfahrt in den Schnee, damit der Typ mit dem Schneepflug weiß, wo er räumen muss. Als es das letzte Mal schneite, haben Rupert und ich Mr Sandovals Latten rausgezogen und sie zum Fechten benutzt.

Aber wahrscheinlich haben wir die Latten nicht an die richtigen Stellen zurückgesteckt, denn als Mr Sandovals Einfahrt geräumt werden sollte, lag der Schneepflug ungefähr drei Meter daneben.

Seitdem wartet Mr Sandoval darauf, dass Rupert und ich bei ihm vorbeikommen, damit er uns ordentlich zusammenstauchen kann. Aber ich bin für dieses Gespräch noch nicht bereit. Und schon gar nicht ALLEIN.

Mr Sandoval ist aber nicht die EINZIGE Gefahr zwischen unserem Haus und der Schule.

Seit in Omas Straße gebaut wird, müssen wir einen Umweg nehmen. Und damit kommen wir direkt an dem Waldstück vorbei, wo sich die Mingo-Kids rumtreiben.

Ich weiß eigentlich gar nicht viel über die Mingo-Kids. In der Schule habe ich noch keins von ihnen gesehen, und soweit ich weiß, leben sie im Wald wie ein Rudel wilder Tiere.

Ich bin mir nicht mal sicher, ob zu dem Mingo-Clan überhaupt Eltern oder irgendein Erwachsener gehören. Ihr Anführer soll ein Junge namens Meckley sein, der immer ein Muskelshirt und einen Gürtel mit einer gigantischen Stahlschnalle trägt.

MECKLEY MINGO

Einmal sind Rupert und ich zu dicht an den Wald geraten, und eins von den Mingo-Kids kam raus und drohte uns.

Ich bin mir noch immer nicht sicher, was er damit meinte, aber wenn Meckleys Gürtelschnalle irgendwas damit zu tun hat, will ich es auch nicht herausfinden.

Jetzt, wo ich allein nach Hause gehe, muss ich die Straßenseite wechseln, sobald ich in die Nähe des Mingo-Walds komme. Das wäre keine große Sache, nur ist dort kein Gehweg, und das kann für Dads Trolley auf Dauer nicht gut sein.

Mom hat bemerkt, dass ich in letzter Zeit nicht mehr so viel mit Rupert „unternehme". Sie sagt, ich soll es mir nicht „so zu Herzen" nehmen, weil die meisten Freundschaften aus der Kindheit nicht von Dauer sind und Rupert sich in den nächsten Jahren „ohnehin anders entwickeln" würde als ich.

Na ja, also ich hoffe, dass das so nicht stimmt. Für mich ist es wichtig, meine Sandkastenfreunde zu behalten, damit später jemand genau weiß, wie weit ich es gebracht habe.

Ich bin mir sowieso nicht sicher, ob Mom die Richtige ist, um mir Tipps zu geben, denn Freundschaften zwischen Jungen sind VÖLLIG anders als zwischen Mädchen. Das weiß ich genau, weil ich so gut wie jedes Buch von den Pyjama-Party-Löwinnen gelesen habe.

Ehe ihr mich auslacht und sagt, das sind Bücher für MÄDCHEN, müsst ihr mich erklären lassen. Ich habe nur angefangen, sie zu lesen, weil ich mal kein Buch für die stille Lesestunde dabeihatte. Die Lehrerin hatte aber nur Pyjama-Party-Löwinnen-Bücher übrig. Und wenn man erst mal EINS davon gelesen hat, kann man einfach nicht mehr aufhören.

Mittlerweile muss es bestimmt hundert Bücher von den Pyjama-Party-Löwinnen geben. Die ersten dreißig oder so waren ziemlich gut, aber ich glaube, danach gingen dem Autor allmählich die Ideen aus.

Wie auch immer, in den Büchern bekommen die beiden Freundinnen immer tierisch Zoff wegen irgendwelchen Kleinigkeiten.

Aber nach einer Weile beruhigen sich die Gemüter wieder, und die Mädchen begreifen den wahren Wert ihrer Freundschaft.

Im Grunde ist das die Handlung von jedem einzelnen Buch aus der Pyjama-Party-Löwinnen-Reihe. Also, so funktioniert das vielleicht bei MÄDCHEN, aber ich weiß aus eigener Erfahrung, dass es bei JUNGEN NICHT so läuft.

Für Jungen ist alles viel unkomplizierter. Sagen wir zum Beispiel, ein Junge macht etwas kaputt, das einem anderen gehört, aber es ist echt ein Versehen. Na, fünf Sekunden später denkt keiner mehr daran, und alles ist wieder normal.

Ich weiß nicht, ob Jungen deswegen weniger feinsinnig sind als Mädchen oder so was, aber ich weiß GENAU, dass unsere Art und Weise, mit so was umzugehen, viel Zeit und Energie spart.

Freitag

Ich sage es nur ungern, aber Moms Voraussage, was Rupert und mich angeht, scheint zu stimmen.

Seit Abigail und Rupert zusammenkamen, sitzt Abigail beim Mittagessen an unserem Tisch, an dem sonst nur Jungen sitzen. Dass sie kein Fan des Kakaoblubberns ist, habe ich ja schon erwähnt, aber es gibt noch eine ganze Menge ANDERER Sachen, die sie auch nicht leiden kann.

Eine davon ist die Fünf-Sekunden-Regel. An unserem Tisch sind sich alle einig, dass man etwas, das man auf den Boden fallen lässt, NOCH ESSEN kann, wenn man es innerhalb von fünf Sekunden wieder aufhebt.

Seit Neuestem kann man auch etwas Essbares vom Boden aufheben, wenn man es gar nicht SELBER fallen gelassen hat. Auf die Art und Weise bin ich schon zwei Schokokekse und sogar ein Schokoeis losgeworden.

Die neue Regel hat allerdings auch neue Probleme verursacht. Gestern hat Freddie Harlahan eine Scheibe gekochten Schinken vom Boden gegessen, weil er dachte, Carl Dumas hätte sie verloren, doch sie lag schon von der Gruppe dort, die VOR UNS hier gegessen hatte.

Vielleicht lag der Schinken sogar noch LÄNGER da, denn Freddie wurde schlecht, und er hat den Rest des Tages im Krankenzimmer verbracht.

Irgendwas sagt mir, dass es die Fünf-Sekunden-Regel an Abigails altem Tisch und den ANDEREN Mädchentischen nicht gibt. Und ich wette, sie haben auch auf keinen Fall Fritten-Freitage.

Freitags gibt es immer Hamburger in der Cafeteria, aber das Fleisch ist grau und schmeckt wie nasser Schwamm. UND sie servieren jetzt Pommes aus Süßkartoffeln statt aus echten anständigen Kartoffeln.

Die Mutter von Nolan Tiago arbeitet Teilzeit in der Bücherei, und jeden Freitag bringt sie Nolan einen Cheeseburger mit Pommes aus dem Fastfood-Restaurant an der Ecke.

Nolan isst seine Fritten nie ganz auf, und wir dürfen die Reste haben. Ich habe schon erlebt, wie Kids sich fast geprügelt haben wegen ein paar kalter echter Pommes.

Weil wir verhindern wollten, dass jemand verletzt wird, beschlossen wir, die Fritten gerecht aufzuteilen. Wir zogen Alex Aruda hinzu, der sie zählen und jedem die gleiche Menge geben sollte.

Wir anderen behielten Alex genau im Auge, damit er sich nicht heimlich selber eine Fritte abzweigte.

Manche essen ihre Fritten alle auf einmal, aber ich knabbere an meinen möglichst lange rum.

Doch ganz egal, wie viele Fritten wir bekommen, es sind nie genug. Heute lagen nur DREI Pommes in der Tüte, und wir mussten sie auf zehn Leute verteilen.

Ein paar von uns haben daher Nolan echt zehn Cent gezahlt, nur um an seinem Pommesatem riechen zu dürfen. Und ich glaube, das hat für Abigail den Ausschlag gegeben, sich einen anderen Tisch zu suchen.

Als Abigail an den anderen Tisch ging, nahm sie Rupert natürlich mit. Das war MIR erst einmal egal, weil es mehr echte Fritten für den Rest von uns bedeutet.

Abigail und Rupert sind an den Pärchentisch gezogen, dem einzigen Tisch in der gesamten Cafeteria, wo es noch freie Plätze gibt. Nach dem Valentinsball haben sich fast alle Pärchen in unserem Jahrgang wieder getrennt, und Rupert und Abigail hatten überhaupt kein Problem, einen Platz zu bekommen.

Die Pärchen haben nur deshalb einen Tisch für sich allein, weil es kein normaler Mensch bei ihnen aushält. Ich würde mich für KEIN Geld der Welt an den Pärchentisch setzen und jeden Tag zusehen, wie Abigail ihren Rupert mit Pudding füttert.

In der SEKUNDE, in der Rupert und Abigail unseren Tisch verließen, setzten sich zwei andere auf ihre Plätze. In der Cafeteria sind nicht genug Plätze für alle Schüler in unserer Pausengruppe, deshalb gibt es eine Warteschlange.

Wenn man am ersten Schultag keinen Platz ergattert, hat man Pech gehabt. Ein paar Schüler warten seit September, und am letzten Schultag warten sie wahrscheinlich IMMER noch.

Ich bin echt froh, dass ich einen Platz habe, denn wer keinen hat, muss sich hinsetzen, wo es geht.

Die Kinder in der Mitte der Warteschlange haben so ziemlich jede Hoffnung aufgegeben, je einen Tisch zu bekommen. Einige haben sogar angefangen, ihre Plätze an Schüler zu verkaufen, die noch weiter hinten stehen. Ich habe gehört, dass Brady Connor seine Position Nummer fünfzehn an Glenn Harris verkauft hat, der auf Nummer sechzehn stand, und das für fünf Dollar und ein Eiscreme-Sandwich.

Zu meinem Pech waren die beiden ganz vorn in der Schlange Earl Dremmell und sein Zwillingsbruder Andy. Earl und Andy haben direkt vor dem Mittagessen Sport, und beide tun nur so, als würden sie danach duschen, genau wie ich.

Obwohl ich mit einem Haufen Leute an einem Tisch sitze, würde ich keinen von ihnen als FREUND bezeichnen. Nach dem Essen gehen wir getrennte Wege.

FRÜHER habe ich die Pausen mit Rupert verbracht, aber das ist vorbei. Vermutlich sollte ich mir jetzt andere Freunde suchen; das Problem ist nur, ich weiß nicht, wo ich mich aufhalten soll.

Das liegt vor allem daran, dass ich auf dem Schulhof ein paar Typen aus dem Weg gehen muss.

Vor ein paar Jahren hat Mom einen Haufen meiner Klassenkameraden zu meinem Geburtstag eingeladen, fand aber, ich hätte schon genug Spielzeug, und das schrieb sie auch auf die Einladung.

Normalerweise sind die anderen Kinder neidisch, wenn man auf seiner Geburtstagsparty die Geschenke auspackt. Aber MICH haben alle einfach nur bemitleidet.

Leider hat Moms Idee vielen ANDEREN Müttern in der Nachbarschaft so gut gefallen, dass ich bis heute vorsichtig sein muss, wenn ich jemanden mit einem neuen Buch auf dem Pausenhof sehe.

Dann gibt es noch Leon Feast und seine GANG. Vor ein paar Jahren kam ich in den Sommerferien mit den Typen in Streit, und seitdem gibt es zwischen uns böses Blut.

Eines Tages wollten Rupert und ich auf dem Basketballfeld vom Schulhof Rad fahren, aber wir waren erst ein paar Minuten da, als Leon und seine Freunde aufkreuzten.

Sie sagten, wir müssten verschwinden, damit sie Basketball spielen können.

Ich schlug Leon einen Kompromiss vor: Sie könnten die eine Hälfte des Feldes haben, und wir würden auf der anderen Fahrrad fahren. Aber DAVON wollten sie nichts hören und jagten uns davon.

Auf dem Nachhauseweg war ich superwütend, weil wir uns einfach so hatten herumschubsen lassen, und ich wollte etwas dagegen UNTERNEHMEN. Ein paar Tage später fragte mich Mom urplötzlich, ob sie mich zum „Superhelden-Trainingslager" anmelden sollte. Sie zeigte mir ein Flugblatt, und ich war sofort Feuer und Flamme.

Ich konnte es kaum ERWARTEN, das Trainingslager zu machen und es Leon und seiner Bande so richtig zu zeigen.

Rupert durfte auch mitmachen, und wir waren beide total aufgeregt. Doch gleich am ersten Tag wurde mir klar, dass wir einem Schwindel aufgesessen waren.

Erstens fand das Superhelden-Trainingslager in der Turnhalle des CVJM statt und nicht in einem Geheimbunker unterhalb des Gebäudes. Und die ganze Geschichte mit den „Superkräften" war auch nur ein schlechter Scherz.

So saßen Rupert und ich für eine Woche ganztägig in einem Turnkurs fest, während unsere Mütter sich um ihre Besorgungen kümmerten. Und am Ende bekamen wir nicht mal Masken oder Kostüme oder irgendwas Cooles. Wir bekamen nur so dämliche Urkunden.

Ein paar Wochen später sind wir wieder mit unseren Fahrrädern zur Schule, und klar, Leon und seine Freunde blockierten den Basketballplatz. Ich fürchte nur, ich hätte Rupert vorher klarmachen sollen, dass sein „Superhelden-Training" vollkommen nutzlos gewesen war.

Außer den Typen wie Leon, denen ich aus dem Weg gehen muss, gibt es auf dem Schulhof noch ein paar andere Pausengruppen. Ich glaube aber nicht, dass ich zu irgendeiner davon wirklich passe.

Eine spielt ständig ein Fantasy-Kartenspiel, eine andere Gruppe sitzt nur rum und liest.

Dann gibt es diese Truppe, die auf dem Ballplatz spielt. Vor einigen Monaten wurden aber alle Ballspiele verboten, weil es dabei zu viele Verletzungen gab.

Deshalb haben die sich ein Spiel ausgedacht, bei dem der SCHUH von irgendwem der Ball ist. Fragt mich bloß nicht, welchen Sinn das haben soll.

Erick Glick hängt mit seinen zwielichtigen Freunden hinter der Schule ab, wo die Lehrer sie nicht sehen können. Ich habe gehört, wenn man eine alte Buchbesprechung oder ein Referat kaufen will, dann ist er der richtige Ansprechpartner.

Die MÄDCHEN hängen ebenfalls in Gruppen rum. Eine macht ständig Seilspringen, eine andere spielt „Himmel und Hölle" zwanzig Meter weiter. Man sagt, die beiden Cliquen können sich nicht ausstehen, aber ich weiß nicht, worum es dabei geht.

Ich sag euch, zu welcher Gruppe ich GERN gehören würde: zu den Mädchen, die bei der Cafeteria abhängen und sich über jeden das Maul zerreißen, der vorbeikommt.

Ich habe versucht, in die Gruppe reinzukommen, aber die haben es nicht so mit Außenstehenden.

Jungen und Mädchen ZUSAMMEN gibt es eigentlich nur auf dem Spielplatz. Einige haben angefangen, „Mädchen jagen Jungen" zu spielen, das war in der Grundschule der große Renner.

Ich versuche seit Jahren, in das Spiel reinzukommen, aber die meisten Mädchen wollen nur BELIEBTE Jungen jagen wie Bryce Anderson.

Bei „Mädchen jagen Jungen" kommt es immer wieder vor, dass jemand mit einem Ruf das Spiel umdreht.

Das geht hin und her, bis es klingelt.

Das Problem ist nur, dass keiner weiß, was man tun soll, wenn man tatsächlich jemanden FÄNGT. Ich erinnere mich noch an einen Zwischenfall, als ich in der fünften Klasse war. Wir spielten „Jungen jagen Mädchen", und ich fing fair und ehrlich Cara Punter.

Cara meldete mich bei der Aufsichtslehrerin, und die ließ mich für den Rest der Pause an der Wand sitzen. Ich bin mir auch ziemlich sicher, dass die Schule sogar meine ELTERN angerufen hat.

Ich glaube, die Schule hat erkannt, dass einige Schüler Schwierigkeiten haben, sich mit anderen anzufreunden, und deshalb haben sie die Sag's-dem-Lehrer-Station auf dem Spielplatz in eine Finde-einen-Freund-Säule umgewandelt.

Ich fand die Finde-einen-Freund-Säule immer eine blöde Idee, aber in letzter Zeit habe ich nicht mehr viele Möglichkeiten.

Ich weiß nicht, ob keiner gemerkt hat, dass das blaue Licht anging, oder ob alle nur zu sehr mit „Mädchen jagen Jungen" beschäftigt waren, aber niemand kam. Ich glaube, ich habe Mr Nern leidgetan, denn er kam mit einem Damespiel vorbei.

Es war wohl besser als nichts, aber hoffentlich glaubt Mr Nern nicht, dass eine regelmäßige Sache draus wird.

Mittwoch

Okay. Wisst ihr, wann es wirklich nicht mehr SCHLIMMER kommen kann? Wenn euer kleiner Bruder mehr Freunde hat als ihr.

Vor ein paar Wochen ist eine Familie mit einem Kleinkind namens Mikey in unsere Straße gezogen, und Mikey und Manni waren sofort ein Herz und eine Seele. Seit sie sich kennengelernt haben, hängen die beiden jeden Tag nach dem Kindergarten zusammen ab.

Mikey liebt Traubensaft, und ich habe ihn noch nie ohne Saftring um die Lippen gesehen. Dadurch sieht er immer aus wie ein vierzigjähriger Mann mit Bart.

MIKEY

Mikey und Manni machen nichts anderes, als zusammen fernzusehen.

Soweit ich weiß, hat keiner von ihnen jemals ein einziges Wort mit dem anderen gesprochen, aber irgendwie scheinen sie sich zu verstehen.

Und als wäre das nicht schon verrückt genug, hat OPA jetzt eine Freundin. Ich hätte nie gedacht, dass man noch jemanden DATEN kann, wenn man so alt ist wie Opa, aber da habe ich mich wohl geirrt.

Wahrscheinlich hätte es mich gar nicht überraschen sollen. Dad sagt, in Opas Wohnheim, dem „Rentnerparadies", kommen zehn Frauen auf einen Mann. Deshalb stehen ständig Frauen vor Opas Tür und versuchen ihn mit Aufläufen und Kuchen zur Strecke zu bringen.

Jedenfalls geht Opa mit dieser Witwe namens Darleen aus, und wir haben sie am Wochenende kennengelernt, als sie zum Essen zu uns kamen.

Ich finde es ziemlich verrückt, dass Rupert und Opa zur gleichen Zeit eine Freundin bekommen haben.

Ich kann dazu nur eins sagen: Wenn das die Leute sind, die die nächste Generation hervorbringen, dann steckt die Menschheit VOLL in der Tinte.

Ich hätte Mom nie erzählen dürfen, was in meinem Leben vorgeht, denn jetzt hat sie sich vorgenommen, mich bei der Suche nach neuen Freunden zu unterstützen.

Gestern hat sie ihre alte College-Freundin zu uns eingeladen, weil die auch einen Sohn hat, und Mom dachte, vielleicht liegen wir „auf einer Wellenlänge".

Allerdings hat Mom NICHT erwähnt, dass der Sohn ihrer Freundin im letzten Jahr auf der HIGH-SCHOOL ist, und damit hat sie uns allen einen total peinlichen Nachmittag beschert.

Außerdem hat Mom mir neulich ein paar Tipps gegeben, wie ich neue Freunde finden kann.

Ich glaube, sie meint es gut, aber was sie mir rät, würde bei Kindern in meinem Alter NIEMALS funktionieren. Zum Beispiel meinte sie, ich sollte zu allen einfach nur nett sein. Das würde sich herumsprechen, und im Nullkommanichts wäre ich der beliebteste Junge der Schule.

Vielleicht hat das noch geklappt, als Mom zur Schule ging, aber heute ist das anders. STÄNDIG versichere ich Mom, dass Beliebtheit vor allem davon abhängt, welche Klamotten man trägt und was für ein Handy man hat. Aber das will sie ja nicht hören.

In der Schule ist gerade „positive Bestärkung" das Zauberwort, und die Lehrer nehmen die Anti-Schläger-Poster in den Gängen ab, weil sie zu dem neuen Thema nicht passen.

Statt uns zu bestrafen, wenn wir fies zueinander sind, sollen wir jetzt belohnt werden, wenn wir NETT sind.

Die Idee ist, dass ein Lehrer, der mitbekommt, dass

man nett zu einem anderen Kind ist, einem einen „Heldenpunkt" gibt.

Wenn man eine bestimmte Anzahl Heldenpunkte zusammenhat, kann man sie gegen Prämien eintauschen – zum Beispiel verlängerte Pausen.

Und die Klasse, die die MEISTEN Heldenpunkte sammelt, bekommt im Juni einen Tag schulfrei.

Ich fand die Idee eigentlich gar nicht schlecht, aber natürlich müssen immer welche hingehen und es allen verderben. Schnell war klar, dass man nicht tatsächlich etwas Gutes tun muss, um einen Heldenpunkt zu kassieren. Einige TATEN nur so, als wären sie nett und hilfsbereit, sobald ein Lehrer in der Nähe war.

Heldenpunkte werden zu je zehn auf ein DIN-A4-Blatt gedruckt, und die Lehrer trennen einen ab, wenn sie einen Schüler belohnen wollen.

Erick Glick fiel eines dieser Blätter in die Hände, er kopierte es, und in kürzester Zeit waren in der ganzen Schule gefälschte Heldenpunkte im Umlauf.

Erick verkaufte sie für fünfundzwanzig Cent pro Punkt, aber dann begriffen die anderen Kinder, dass SIE ja ebenfalls Kopien machen konnten, und dann wurde die Schule derart mit Heldenpunkten überschwemmt, dass man HUNDERT Stück für einen VIERTELDOLLAR bekam.

Die Lehrer wurden misstrauisch, als ausgerechnet die übelsten Typen tonnenweise Heldenpunkte vorlegten, um verlängerte Pausen zu bekommen.

Darum erklärte die Schule alle Heldenpunkte auf weißem Papier für ungültig und druckte eine neue Serie auf GRÜNEM Papier. Es dauerte aber nicht lange, und die Leute machten Kopien auf grünem Papier, und alles ging wieder von vorne los.

Jedes Mal, wenn die Schule die Farbe der Punkte änderte, waren innerhalb von vierundzwanzig Stunden Fälschungen im Umlauf. Am Ende wurden alle bestraft, die mehr als fünf Heldenpunkte auf einmal einlösen wollten, denn die Lehrer sahen das als Beweis, dass die Punkte gefälscht waren.

Aber DAS war auch nicht fair. Marcel Templeton, einer der nettesten Kerle in unserer Klasse, musste für den Rest des Monats nachsitzen, obwohl er sich seine fünfunddreißig Heldenpunkte redlich verdient hatte.

Schließlich ließ der Hausmeister einen der größten Fälscherringe auffliegen, als er in einen leeren Klassenraum kam, den die Bande als Werkstatt benutzte.

Danach stellte die Schule das Heldenpunkte-Programm komplett ein, was ziemlich blöd ist, weil ohne die verlängerten Pausen überhaupt niemand mehr bereit ist, etwas Nettes zu tun.

Sonntag

Ich glaube, ich bin mit meinen Erklärungen zur Beliebtheit doch zu Mom durchgedrungen, denn sie ist mit mir Klamotten kaufen gegangen.

Eigentlich kann ich es nicht AUSSTEHEN, Klamotten kaufen zu gehen, und normalerweise machen wir das nur am Anfang eines neuen Schuljahres. Und einmal im Jahr reicht mir das völlig.

Ich habe im Leben schon viel Langweiliges getan, aber NICHTS saugt mehr Kraft aus als der Klamottenkauf zum Schulbeginn.

Normalerweise kauft Mom mit uns in der Stadt ein, in einem Laden namens Freddie Sparfuchs. Ich glaube, die Ladenbesitzer kennen sich mit Männern aus, denn es gibt da einen kleinen Bereich, wo man sich hinsetzen kann, während die Frauen einkaufen.

Im letzten September nahm Mom mich und Rodrick mit zu Freddie Sparfuchs und suchte alle Klamotten für uns aus. Leider vergaß sie uns ABZUHOLEN, nachdem sie mit dem Einkauf fertig war, und das merkte sie erst zu Hause.

Wir müssen so ungefähr drei Stunden dadrin gewesen sein, ehe sie wiederkam.

Na ja, heute war ich richtig AUFGEREGT, als es ans Klamottenkaufen ging. Ich bekam zwei neue Jeans und drei Shirts, aber worüber ich mich wirklich total gefreut habe, waren die SCHUHE.

Alle meine Schuhe sind abgelegtes Zeug von Rodrick, und immer, wenn ich ein Paar von SEINEN Schuhen bekomme, sitze ich stundenlang vor der Tür und pule das Kaugummi von den Sohlen.

Ich habe bisher nur ein einziges Mal neue Schuhe bekommen. In der vierten Klasse hat mir Mom zum Schulanfang ein Paar Sneakers gekauft.

Ich sagte ihr, dass ich von „Sportzterz" noch nie gehört hätte. Sie erklärte, das sei eine europäische Marke, und in den Schuhen sei „Raumfahrttechnologie" verarbeitet. Deshalb war ich total stolz auf meine neuen Schuhe, als ich zur Schule ging.

Aber in der Pause fielen die Gummisohlen einfach ab. Ich war sauwütend, und als ich nach Hause kam, zeigte ich sie Mom. Sie sagte, ich soll mir keine Gedanken machen, wir würden sie in den Laden zurückbringen und neue holen.

So fand ich heraus, dass sie die Schuhe in einem Ein-Dollar-Laden gekauft hatte und die ganze Sache mit der „Raumfahrttechnologie“ ein Haufen Blödsinn war.

Als Mom sagte, dass sie heute mit mir Schuhe kaufen gehen will, wollte ich sofort alle Unklarheiten ausräumen und machte sehr deutlich, dass für mich nur Markenware infrage kommt.

Allerdings war es gar nicht so leicht, sich für ein Paar Schuhe zu entscheiden. Es gibt ungefähr eine Million unterschiedliche Arten, und angeblich ist jede Art nur für eine bestimmte Sache zu gebrauchen.

Es gibt Schuhe zum Wandern, Schuhe zum Rennen, Schuhe zum Skateboardfahren und noch einen Haufen mehr.

Ein Paar teure Hightech-Basketballschuhe gefielen mir wirklich. Sie hatten in den Sohlen etwas, womit man angeblich höher springen kann, und ich überlegte echt, ob ich sie nehmen sollte.

Ich machte mir aber Sorgen, dass ich mit den Schuhen auf dem Schulweg total die Kontrolle verlieren könnte.

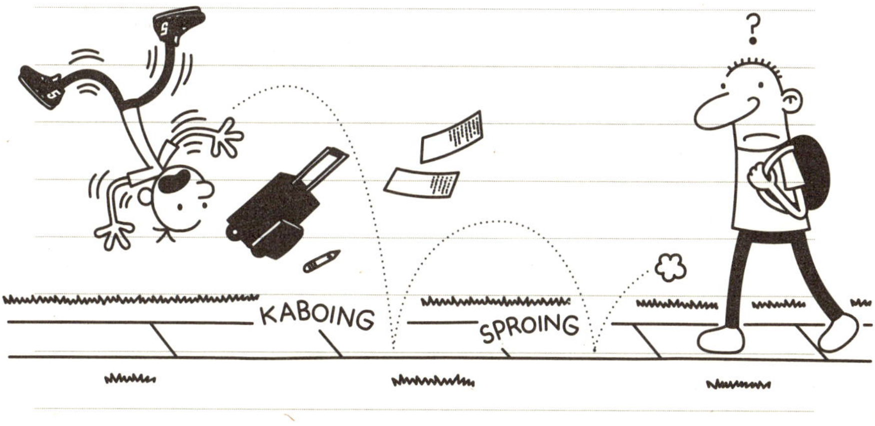

Dann gab es grüne „Crosstraining"-Schuhe, die wirklich absolut toll aussahen, aber auf dem Karton stand, dass sie für „ernsthafte Sportler" gedacht sind.

Wenn ich sie gekauft hätte, wäre das wahrscheinlich totale Verschwendung gewesen.

Ich überlegte auch, mir Schuhe mit Rädern drin zuzulegen, um einfach am Wald der Mingo-Kids vorbeizuflitzen.

Am Ende entschied ich mich für Schuhe, die zwar sportlich, aber nicht zu sportlich waren. Mom fragte mich, ob ich sie gleich anziehen wollte, aber auf gar keinen Fall wollte ich die Schuhe dreckig machen, ehe ich sie das erste Mal in der Schule anhatte.

Außerdem konnte ich so den Geruch nach neuen Schuhen auf der ganzen Rückfahrt genießen.

Montag

Ehe ich neue Schuhe bekam, ist mir nie aufgefallen, wie SCHMUTZIG der Boden ist. Und nicht nur der eigentliche Boden, sondern auch die Straße und der BÜRGERSTEIG.

Der Schulweg ist ein Minenfeld aus Schlamm und Schmier und anderem Dreck, und wenn man allem ausweichen will, muss man im Grunde zum Ninja ausgebildet sein.

Wenn ich ehrlich sein soll, bin ich heute Morgen nur einen Häuserblock weit gegangen, habe mich umgedreht und bin zurück. Zu Hause habe ich zwei Plastiktüten um meine Füße gewickelt. Eine Weile ging das gut.

Aber am Ende waren die Unterseiten der Tüten ganz zerschreddert und schützten die Schuhe GAR NICHT mehr. Ich habe sie also abgerissen und in die nächste Mülltonne geworfen.

Danach versuchte ich alles, um den Gefahren auszuweichen. Ich blieb auf dem Gehweg, bis ich merkte, dass sich dadurch Steinchen in die kleinen Rillen in den Sohlen drückten, und ich wusste, dass es EWIG dauert, bis man die wieder rausbekommt. Deshalb versuchte ich die Gummimenge, die mit dem Beton in Berührung kam, nach Möglichkeit zu minimieren.

Am Ende habe ich es aufgegeben und ging einfach durchs Gras. Ich kam zwanzig Minuten zu spät, aber das war es absolut wert, denn so konnte ich mit Stil das Klassenzimmer betreten.

Dummerweise hatten wir einen unangekündigten Test in Geografie, und ich musste versuchen, die verlorene Zeit wieder wettzumachen.

Nach ein paar Minuten bemerkte ich einen entsetzlichen Gestank. Zuerst dachte ich, er käme von Bernard Barnson, der nie besonders gut riecht.

Aber es war VIEL schlimmer als normal. Ich zog mit meinem Kram an einen Tisch weiter hinten im Raum, damit ich mich auf den Test konzentrieren konnte, aber der Geruch FOLGTE mir. Und da begriff ich endlich, woher er WIRKLICH kam.

Ich musste in Hundekacke getreten sein, als ich durchs Gras ging. Und ich weiß auch GENAU, wo das passiert ist.

Ich zog den Schuh aus, ging ans Pult zu Mrs Pope und erklärte ihr meine Lage.

Aber ich glaube, Mrs Pope dachte nur, ich wollte den Test schwänzen, deshalb gab sie mir eine Plastiktüte, in die ich den Schuh tun sollte, und befahl mir, an meinen Platz zurückzukehren.

Mittlerweile hatten die anderen natürlich kapiert, was los war, und alle amüsierten sich auf meine Kosten.

Normalerweise finde ich Hundekacke ja auch komisch, aber natürlich nur, wenn ein ANDERER reintritt.

Das Beste, was ich mit Rupert je erlebt habe, war ein 4. Juli, an dem seine Eltern mit uns in die Stadt fuhren, damit wir uns das Feuerwerk zum Unabhängigkeitstag ansehen konnten. Wir mussten ein paar Stunden früher dort sein, damit wir im Park einen Platz für unsere Decke bekamen.

Ein Polizeipferd machte genau auf den Hauptweg, und wir verbrachten den Rest des Abends damit zuzugucken, wie die Leute darauf reagierten und wie sie auszuweichen versuchten.

Das waren schöne Zeiten, aber jetzt sind sie wohl vorbei.

Was mich wirklich wütend macht, ist, dass wenn alles so wäre, wie es sein SOLLTE, Rupert mich heute Morgen zur Schule begleitet und seine Aufgaben als Scout erfüllt hätte.

Aber Rupert musste ja unbedingt losgehen und sich eine Freundin suchen, und ICH darf das Ganze jetzt ausbaden.

Weil ich Rebells Kacke über den ganzen Klassenboden verteilt hatte, musste Mr Meeks zum Wischen kommen. Er warf mir die ganze Zeit böse Blicke zu, und ich konnte mich kaum noch auf meinen Test konzentrieren.

Als die Stunde zu Ende war, ging ich ins Sekretariat und fragte, ob man etwas für mich tun könnte. Die Sekretärin ließ mich die Fundkiste nach einem Ersatzschuh durchsuchen, aber das Ähnlichste war ein Mädchenwinterstiefel.

Genau in dem Moment kam Mr Nern aus dem Lehrerzimmer, und die Sekretärin fragte ihn, ob er zufällig Ersatzschuhe dabeihätte. Mr Nern sagte, er hätte tatsächlich welche in seinem Büro, und ging, um sie zu holen.

Mir war es vorher nie aufgefallen, aber Mr Nern hat richtig GIGANTISCHE Füße. Ich hoffe bloß, dass er nicht glaubt, ich spiele in der Pause weiter Dame mit ihm, nur weil er mir Schuhe geliehen hat.

Mittwoch

Jetzt, wo ich nach der Schule nicht mehr mit Rupert rumhänge, habe ich VIEL mehr Zeit als früher. Aber wenn ich eins gelernt habe, dann, dass man seiner Mutter niemals sagen darf, dass man nichts zu tun hat.

Um zu vermeiden, dass ich zu Hause mithelfen muss, gehe ich jetzt nach dem Essen nach draußen. Mom sagt, ich soll „mein Blickfeld erweitern" und überall in der Nachbarschaft versuchen, neue Freunde zu finden. Aber die Auswahl ist hier ziemlich mager.

Ein paar Häuser weiter wohnen die Lasky-Brüder, aber DIE finden es super, sich bis auf die Unterwäsche auszuziehen und im Vorgarten Ringkämpfe abzuhalten.

Quer gegenüber wohnt ein Junge namens Mitchell Flammer, der ein oder zwei Jahre jünger ist als ich. Ich weiß aber nicht mal, wie er AUSSIEHT, weil ich ihn noch nie ohne Motorradhelm gesehen habe.

Ein paar Häuser weiter rechts kommt man zu Aric Holbert, der wegen Einbruchs und Vandalismus im Schulgebäude seit drei Wochen vom Unterricht ausgeschlossen ist.

Er hat versucht, es abzustreiten, aber das war ziemlich sinnlos.

Und dann ist da Fregley, der ein paar Häuser in die andere Richtung wohnt. Wenn meine derzeitige Lage überhaupt etwas GUTES an sich hat, dann, dass ich nicht mehr bei Fregley vorbeigehen muss, um Rupert abzuholen.

Blöderweise versucht Mom andauernd, für mich eine „Verabredung zum Spielen" mit Fregley einzufädeln. Sie sagt, dass er ihr leidtut, weil er ein „einsamer Junge" zu sein scheint.

Ich wünschte wirklich, Mom würde so etwas nicht sagen, denn ich bekomme davon schreckliche Schuldgefühle. Und glaubt mir, ich fühle mich schon schlimm GENUG, wenn ich Fregley jeden Tag auf dem Spielplatz sehe.

Heute allerdings kam mir ein richtig verrückter Gedanke: Mir wurde klar, wenn ich mich mit Fregley anfreundete, konnte ich aus ihm GENAU den Typ Freund formen, den ich wollte.

Ich könnte Fregley im Grunde alles beibringen, was ich an Rupert mag. Außerdem würde Fregley noch einen PLUSPUNKT mit ins Rennen bringen.

Mir ist nämlich aufgefallen, dass an meiner Schule alle wirklich beliebten Jungen einen komischen Vogel dabeihaben. Einer der Typen in Bryce Andersons Gefolge ist Jeffrey Laffley, und ich gehe JEDE WETTE ein, dass Bryce ihn nur deswegen in seiner Nähe duldet, weil er zum Schießen ist.

Und weil Mädchen NIE auf den komischen Vogel stehen, wäre Fregley keine Bedrohung für mich.

Ich muss allerdings dafür sorgen, dass alle glauben, Fregley wäre ABSICHTLICH so komisch. Bei ihm kann man nämlich nie sicher sein.

Heute beim Mittagessen ging ich Fregley suchen und lud ihn ein, sich an unseren Tisch zu setzen. Er war so weit hinten in der Reihe, dass ich ihn draußen auf dem Flur in der Nähe des Jungenklos fand.

Zum Glück ist Fregley ziemlich mager, deshalb konnten wir ihn reinquetschen. Als Erstes erklärte ich ihm, wie es bei uns läuft, und fing mit der Fünf-Sekunden-Regel an.

Ich war noch dabei, ihm zu erklären, welche Bedingungen erfüllt sein müssen, damit man fremdes Essen beanspruchen konnte, als Fregley sich ohne Vorwarnung auf den Kartoffelchip in meiner Hand stürzte.

Ich war ziemlich sauer und sagte Fregley klipp und klar, wenn er mit diesem Unsinn weitermachen würde, dann könnte er sich gleich wieder auf seinen Platz auf dem Fußboden im Flur setzen.

Ich erklärte, dass jemand WIRKLICH etwas fallen lassen muss, bevor es beansprucht werden kann. Er schien das zu verstehen und versuchte sogar irgendwie, sich zu entschuldigen, also muss ich das wohl als Fortschritt sehen.

Während Fregley sein Mittagessen aß, linste ich unbemerkt in seinen Schreibblock. Ich wollte wissen, wie gut seine Schönschrift ist. Aber als ich die erste Seite sah, wünschte ich mir, ich hätte es bleiben lassen.

Nach der Schule fragte ich Fregley, ob er mit mir nach Hause gehen wollte. Ich erklärte, dass er für mich nach Hundekacke Ausschau halten müsste, und hin und wieder müsste er auch mal meinen Trolley ziehen. Fregley schien sehr gern zu helfen, und zu Anfang lief alles wunderbar.

Aber weil ich nicht aufpasste, vergaß ich, die Straßenseite zu wechseln, als wir zum Wald der Mingo-Kids kamen. Und ehe wirs uns versahen, jagte uns die ganze Meute hinterher.

Am unteren Ende unserer Straße hatten wir sie endlich abgehängt, aber als Fregley mir meinen Trolley zurückgab, war er so gut wie LEER.

Ich fragte Fregley, was mit meinen Büchern passiert war, und er sagte, er hätte sie weggeworfen, als die Mingo-Kids uns jagten. Ich fragte ihn, warum in aller Welt er denn DAS getan hätte, und er sagte, er hätte gehofft, sie würden stehen bleiben und drin LESEN.

Tag eins mit Fregley war also eine ziemliche Katastrophe. Aber Fregley ist eben ein Langzeitprojekt, und ich sollte mich lieber auf ein paar Stolpersteine gefasst machen.

Donnerstag

Heute Morgen wollten Fregley und ich eigentlich zusammen zur Schule gehen, aber um halb neun war er immer noch nicht da. Ich ging also zu ihm und klopfte an die Tür.

Niemand machte auf, und ich wollte gerade allein losgehen, als ich von drinnen etwas hörte – es klang, als ob eine Bowlingkugel die Treppe hinunterrollte. Dann ging die Tür auf, und Fregley stand vor mir.

Er sagte, er hätte sich das Shirt versehentlich falsch rum angezogen und wäre stecken geblieben. Das bedeutete, dass ICH ihn entwirren musste.

Zuerst war ich deswegen ein bisschen sauer, aber dann begriff ich, dass es genau so etwas war, das andere vielleicht ganz LUSTIG finden würden.

Beim Mittagessen brachte ich Fregley darum an einen Mädchentisch und ließ ihn die Sache mit dem Shirt noch mal machen.

Leider hatte ich mir den falschen Tisch ausgesucht, denn von den Mädchen verzog KEINES auch nur die Miene.
Ich fragte Fregley, ob er irgendwelche Witze kennen würde, aber er verneinte. Dann fragte ich ihn, ob er irgendwelche Tricks könnte, und er nahm ein Kaugummi aus der Tasche.

Fregley zog sein Shirt aus und steckte sich das Kaugummi in den Bauchnabel. Weil ich nicht wusste, was kommen würde, ging ich erst mal ein paar Schritte zurück. Und dann, das ist echt nicht gelogen, fing er an, mit dem Bauchnabel darauf RUMZUKAUEN.

Ich weiß nicht, ob die Mädchen beeindruckt waren, aber ich war es. Dann kündigte Fregley an, er würde eine BLASE machen, und das musste ich UNBEDINGT sehen.

Aber ich hätte ahnen müssen, dass es unmöglich ist, mit dem Bauchnabel ein Kaugummi aufzupusten.

Fregleys Talent sprach sich ganz schnell in der Cafeteria herum, und für den Rest der Mittagspause war fast jeder Junge aus unserem Jahrgang an unserem Tisch und wollte sehen, was Fregley NOCH ALLES kauen konnte.

Es wurde dort so eng, dass ICH keinen Platz mehr hatte, um mich hinzusetzen.

Und während Fregley seinen Moment im Rampenlicht genoss, aß ich mein Mittagessen im Flur.

Das zeigt mal wieder, dass man zu anderen so nett sein kann, wie man will – sobald sie die Gelegenheit bekommen, fallen sie einem in den Rücken.

Freitag

Nach dem ganzen Schlamassel in der Schule habe ich mich richtig auf die Osterferien gefreut. Eine Woche für mich allein zu haben wäre GENAU DAS, was mir ein Arzt verschreiben würde.

Aber heute ist mein Plan für eine stressfreie Woche in die Brüche gegangen. Als Dad meine Mom fragte, was wir dieses Jahr an Ostern unternehmen, sagte sie, dass ihre Familie zu Besuch kommt.

Die Neuigkeit traf mich aus HEITEREM HIMMEL, und Dad ging es offensichtlich genauso.

Mom sagt uns NIE vorher Bescheid, wenn ihre Familie kommt, weil sie genau weiß, dass wir uns dann alle irgendwie verdrücken würden.

Die meisten Verwandten von Moms Seite wohnen weit entfernt, und wir sehen sie nicht allzu oft. Das ist mir nur RECHT, denn jedes Mal, wenn wir sie DOCH sehen, dauert es ziemlich lange, bis ich mich davon wieder erholt habe.

Sicher haben die meisten Familien ihre Probleme, aber in Moms Familie gibt es eine Menge Extra-Theater.

Mom hat vier Schwestern, und sie sind so unterschiedlich, dass man sich wundert, wie sie unter dem gleichen Dach aufgewachsen sein konnten.

TANTE GRETCHEN — TANTE AUDRA — TANTE VERONICA — TANTE CAKEY

Moms älteste Schwester ist Tante Cakey, die nicht verheiratet ist und keine Kinder hat. Das ist wahrscheinlich auch gut so, denn es ist ziemlich offensichtlich, dass sie Kinder nicht ausstehen kann.

Als ich klein war, besuchte uns Tante Cakey mal ein paar Tage. Mom musste für einige Stunden weg und ließ mich mit ihr allein. Ich glaube nicht, dass Tante Cakey schon mal mit einem Kind allein gewesen war, denn die ganze Zeit schien sie tierisch nervös zu sein.

Ich glaube, sie dachte, ich würde etwas kaputt machen, deshalb räumte sie als Allerserstes alles Zerbrechliche außer Reichweite. Dann stand sie einfach da und beobachtete mich, um sicherzustellen, dass ich nichts anfasste.

Nach ungefähr einer Stunde sagte Tante Cakey, es sei Zeit für meinen Mittagsschlaf. Ich versuchte ihr klarzumachen, dass ich überhaupt keinen Mittagsschlaf mehr machte, aber sie entgegnete nur, es sei ungezogen, Erwachsenen zu widersprechen.

Tante Cakey sagte, sie sei unten in der Waschküche bügeln und käme mich in ein paar Stunden wecken.

Dann machte sie das Licht aus, doch ehe sie die Tür schloss, sagte sie:

Nie im Leben wäre ich auf die Idee gekommen, das Bügeleisen anzufassen, doch nachdem mich Tante Cakey darauf gebracht hatte, konnte ich an nichts anderes mehr denken. Eine halbe Stunde später schlich ich mich also nach unten, als wäre ich auf einer geheimen Mission.

Tante Cakey saß im Wohnzimmer und sah fern, und ich musste an ihr vorbeischleichen, um in die Waschküche zu gelangen.

Sobald ich drin war, zog ich mir den kleinen Schemel heran, den Mom benutzte, um hohe Regale zu erreichen, und drückte meine gesamte Handfläche gegen das Bügeleisen.

Fragt mich nicht, WAS ich mir dabei gedacht habe. Am Ende hatte ich eine Verbrennung zweiten Grades, und Mom hat Tante Cakey nie wieder babysitten lassen. Ich bin aber sicher, das war IHR nur recht.

Moms jüngste Schwester ist Tante Gretchen, und sie ist das genaue GEGENTEIL von Tante Cakey. Tante Gretchen hat Zwillinge namens Malvin und Malcolm, die total irre sind. Sie sind SO durchgedreht, dass Tante Gretchen sie früher immer an der Leine hatte.

Einmal, als Tante Gretchen und ihre Kinder uns besuchten, brachten sie ihre HAUSTIERE mit. In unserem Haus ging es zu wie in einem Zoo.

Tante Gretchen fuhr ein paar Tage lang auf eine Besichtigungstour und ließ ihre Kinder UND ihre Tiere bei uns. Alles geriet völlig außer Kontrolle, als ihr Kaninchen einen Riesenwurf Junge zur Welt brachte.

Dad fand das überhaupt nicht komisch, denn Tante Gretchen hatte uns versichert, das Kaninchen wäre ein JUNGE.

Mit Tante Gretchens Tieren komme ich zurecht, aber ihre Söhne sind etwas ganz ANDERES. Bei dem gleichen Besuch spielten Malvin und Malcom in unserer Einfahrt ein Wurfspiel – mit einem Stein oder einem Zementblock oder so was.

Ich gebe ja zu, dass ich schon einigen Blödsinn gemacht habe, aber ich glaube nicht, dass ich jemals SO dämlich gewesen bin.

Ehe man sichs versah, musste Mom Malvin in die Notaufnahme fahren, damit seine Stirn genäht wurde, und wir waren verantwortlich für Malcolm.

Während Mom fort war, schaffte Malcolm es irgendwie, an Dads Rasierzeug zu kommen, und als wir ihn fanden, war es schon zu spät.

Dad sagte, wenn Tante Gretchen und ihre Jungen diesmal wieder bei uns wohnen, nimmt er sich ein Hotelzimmer. Doch Mom erwiderte, wir seien eine Familie, und Familien müssen ZUSAMMENHALTEN.

Wenn jemand über Ostern NICHT da sein wird, dann ist das Tante Veronica. Sie ist seit fünf Jahren auf keinem Familientreffen mehr gewesen, zumindest nicht PERSÖNLICH. Ich glaube, die Familie ist ihr zu stressig, und wenn es ein Treffen gibt, dann nimmt sie per Videokonferenz daran teil.

Ich glaube sogar, ich habe sie nicht mehr in Fleisch und Blut gesehen, seit ich drei oder vier war.

Einen Sommer waren wir alle bei einer Trauung unter freiem Himmel. Die Zeremonie dauerte gut zwei Stunden, und es war richtig heiß, aber ich merkte, dass Tante Veronica die ganze Zeit an ihrem Computer irgendwelche Videospiele zockte.

Nur zu Tante Audra habe ich noch nichts gesagt. Sie gehört zu den Leuten, die an Kristallkugeln und Horoskope glauben und so Zeug, und sie tut echt NICHTS, ohne vorher mit ihrem „Medium" zu reden.

Ich weiß das aus eigener Erfahrung, weil ich vor ein paar Jahren im Sommer zwei Wochen bei ihr war.

Mom war nicht gerade erfreut, als sie erfuhr, dass Tante Audra mich zu ihren spiritistischen Sitzungen mitgenommen hatte. Mom sagt, dass die Wahrsagerei nur „Hokuspokus" ist und dass Tante Audra ihr Geld zum Fenster rauswirft.

Aber ich hatte GESPÜRT, dass Mom so etwas sagen würde.

Ich weiß nicht, welche Ausbildung man braucht, um ein Medium zu werden, aber wenn das nicht mit allzu viel Arbeit verbunden ist, könnte ich mir das als Berufsweg durchaus vorstellen.

Ich bin eigentlich überrascht, dass Mom Wahrsagerei unsinnig findet, denn sie behauptet ständig, Oma habe einen sechsten Sinn. Ich weiß nicht, ob das stimmt, aber wenn, dann nutzt Oma nicht das volle Potenzial ihrer Kräfte aus.

Ich will euch nichts vormachen. Ich weiß selber nicht, ob ich an diesen Kram glauben soll. Sicher weiß ich nur eins: Nichts davon hat MIR je geholfen.

Als ich acht war, machten wir mit der ganzen Familie einen Campingausflug und hielten an einem Laden, der alle möglichen Souvenirs und Krimskrams verkaufte.

Dad gab mir drei Dollar zum Ausgeben, und ich kaufte eine Hasenpfote, die mir Glück bringen sollte.

Aber ich verdarb mir noch am gleichen Tag den Magen UND verstauchte mir den Knöchel. Ich habe also zugesehen, dass ich die Hasenpfote wieder loswurde.

Das war mir auch ganz recht, denn mir war sowieso nicht wohl dabei, das Ding die ganze Zeit mit mir rumzuschleppen. Wenn ich wegen meiner Hasenpfote im Lotto gewonnen hätte oder so, hätte ich mich sowieso nicht richtig darüber freuen können.

Wenn Dad die Zeitung auf dem Küchentisch liegen lässt, lese ich immer mein Horoskop. Da steht nur leider nie etwas drin, das mir nützt.

> *Wenn Saturn mit Jupiter in Konjunktion steht, sollten Sie sich vor einem Fremden hüten, der Übles im Schilde führt. Inzwischen bewundert Sie eine Person, für die Sie einmal entflammt waren, aus der Ferne. Ihre Glückszahlen sind 1, 2, 4, 5, 7 und 126.*

Und Glückskekse sind sogar NOCH nutzloser. Früher gingen wir an Heiligabend immer in der Stadt chinesisch essen, und ich freute mich immer total auf meinen Glückskeks, weil ich wissen wollte, was die Zukunft bringt.

Aber das hier ist der Spruch, den ich beim letzten Mal hatte.

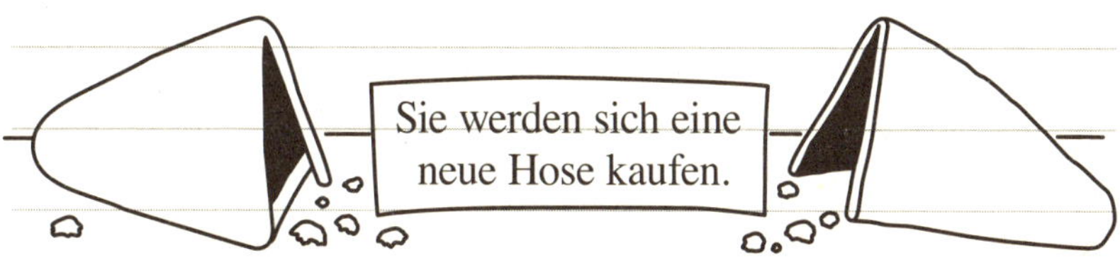

Ich meine, wer DAS geschrieben hat, der hat sich wirklich überhaupt KEINE Mühe gegeben.

Seht ihr, ich BRAUCHE etwas, das mir klipp und klar SAGT, was ich tun soll, damit ich nicht raten muss. Bisher habe ich meine Entscheidungen alle selbst getroffen, und mit dem Ergebnis bin ich nicht gerade superglücklich.

Mittwoch

Früher habe ich mich immer GEFREUT, wenn Moms Familie zu Besuch kam, weil ich dann immer gutes Geld verdienen konnte.

Einmal saß ich am Küchentisch und habe gemalt, und Mom schlug mir vor, ich sollte versuchen, die Bilder an die Familie zu verkaufen.

Das funktionierte auch echt FANTASTISCH. Ich malte ein Bild von einem Haus oder einer Schildkröte, brauchte mich nur umzudrehen und konnte es für fünf Dollar an jemanden aus der Familie verscherbeln.

In den Wochen vor einem großen Familientreffen malte ich, so schnell ich konnte, damit ich einen großen Vorrat besaß, sobald meine Verwandten eintrudelten. Vor einem Thanksgiving malte ich so viele Bilder, dass ich achtzig Dollar einnahm.

Es war so einfach, meine Kunst in Geld zu verwandeln, dass ich schon glaubte, so würde es für den Rest meines Lebens weitergehen.

Doch als ich ein wenig älter wurde, griffen die gleichen Verwandten, die mir früher meine Werke förmlich aus der Hand gerissen hatten, nicht mehr so schnell zur Brieftasche.

Und ich bin mir noch immer nicht ganz sicher, ob es daran lag, dass ich zu oft auf die gleichen zuging, oder daran, dass ich meine Preise verdoppelte.

Als dann aber Manni anfing, SEINE Bilder zu verkaufen, verwandelte sich die Verwandtschaft plötzlich in menschliche Geldautomaten.

Ich will es mal so ausdrücken: Wenn ich ein Bild male, dann investiere ich viel Zeit und Mühe. Manni kritzelt pro Minute fünfzehn Bilder, und bei der Hälfte habe ich keine Ahnung, was sie DARSTELLEN sollen.

Das macht wieder mal deutlich, wie wenig Kunstverstand manche Leute besitzen.

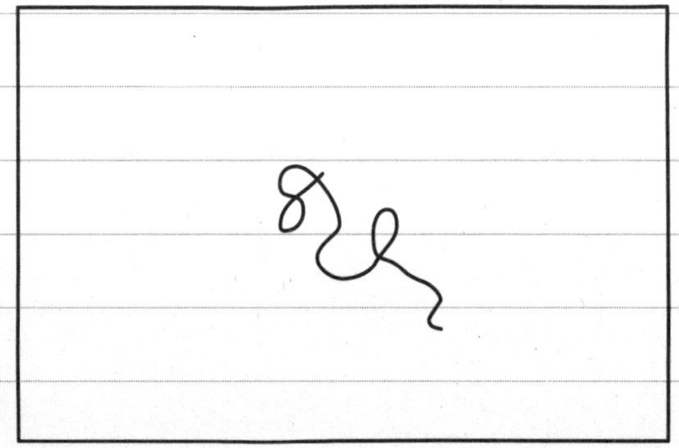

Donnerstag

Dieses Jahr sind wir zu Ostern wieder bei Oma, was echt ätzend ist, denn Omas Haus ist nicht gerade kinderfreundlich. Das Einzige, was einem Spielzeug NAHEKOMMT, ist ein Plüschelefant namens Ellie.

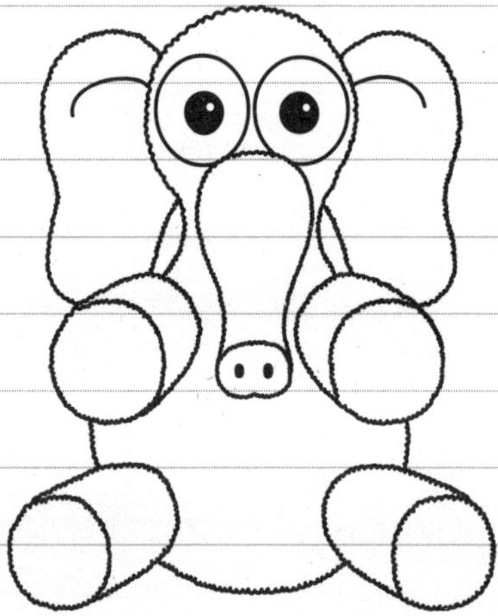

Oma hat Ellie als Kauspielzeug für Sweetie gekauft, unseren alten Hund, der jetzt bei ihr lebt.

Sweetie hatte Ellie jedoch gleich am ersten Tag Rüssel, Ohren und Beine abgerissen. Jetzt sieht man nicht mal mehr, dass sie ein Elefant sein soll.

Für uns Kinder ist Ellie die einzige Unterhaltung im ganzen Haus. Und der Spaß, den man mit so einem Bowlingkegel aus Plüsch haben kann, stößt rasch an seine Grenzen.

Es wäre bei Oma nicht ganz so langweilig, wenn man mit Sweetie noch so SPIELEN könnte wie früher. Aber Oma gibt ihm so viel Futter, dass er mittlerweile aussieht wie ein Wasserball mit Beinen.

AUSSERDEM zieht Oma ihm jetzt auch noch so kleine Hundeklamotten an, und ich glaube, er leidet unter schweren Depressionen.

Hin und wieder, wenn wir bei Oma essen, versuchen wir trotzdem, ein bisschen Spaß mit Sweetie zu haben.

Eines Abends fanden wir heraus, dass man sich von hinten an ihn anschleichen kann, wenn er schläft, und wenn man dann einen Furzlaut macht, zucken seine Ohren hoch.

Dann beschnüffelt Sweetie für die nächsten fünf Minuten sein Hinterteil, und danach schläft er weiter.

Rodrick und ich machen das andauernd mit ihm, und Sweetie reagiert IMMER genau gleich. Als Dad es eines Abends auch mal probieren wollte, ging der Schuss aber NACH HINTEN los.

Auch wenn es bei Oma sonst langweilig ist, war Ostern immer super. Als Uroma Meemaw noch lebte, gab es immer eine große Ostereiersuche bei Oma.

Meemaw war Omas Mutter. Ich will nicht respektlos gegenüber Meemaw sein, aber wenn ich je Enkel haben sollte, werde ICH bestimmen, wie sie mich nennen.

Und ich würde etwas Einfaches nehmen, so was wie „Opa" oder „Großpapa", weil ich nicht den Rest meines Lebens irgendeinen dämlichen Spitznamen ertragen will.

Ich bin mir sicher, mein Uropa würde seinen Namen gerne ändern, aber er ist dreiundneunzig, also hat das wohl keinen Sinn mehr.

Wie auch immer, Meemaw hat die Plastikeier gefüllt, die wir an Ostern suchten. Sie legte Bonbons und Kleingeld hinein, aber hin und wieder auch einen Fünfdollarschein.

Dann versteckte sie die Eier überall im Haus und im Garten.

Nach dem Osterfrühstück gingen wir Kinder in den Garten, um unsere Körbe mit so vielen Eiern wie möglich zu füllen.

Meemaw übertrieb es aber ein wenig und versteckte die Eier VIEL besser als nötig. Ich wette, man würde HEUTE NOCH in Omas Garten genug Eier finden, um einen ganzen Korb vollzubekommen.

Manchmal finde ich noch ein Ei in einem von Omas Schränken oder zwischen den Sofakissen. Vor ein paar Wochen ging Omas Klo nicht, und Dad fand im Wassertank ein rosa Plastikei, das da wahrscheinlich schon JAHRELANG rumdümpelte.

Als Meemaw älter wurde, ließ sie geistig gewaltig nach und fing an, die Plastikeier mit merkwürdigen Dingen zu füllen.

In einem Jahr fand ich eine grüne Bohne, einen Flaschenverschluss und eine Büroklammer in meinen Eiern. Das war das gleiche Jahr, als Manni in einem von SEINEN Eiern ein Stück Zahnseide entdeckte.

Und ich weiß aus eigener bitterer Erfahrung, dass ein benutztes Taschentuch in einem Plastikei GENAUSO klingt wie ein Fünfdollarschein.

Die letzte Ostereiersuche gab es in dem Jahr, in dem Meemaw starb. Bei ihrer Beerdigung bemerkte Mom, dass sie ihren Ehering mit den Diamanten nicht trug.

Alles geriet in Panik, weil dieser Ring seit drei Generationen im Besitz der Familie gewesen war und offenbar eine Menge Geld wert ist.

Nach der Beisetzung ging also die ganze Familie zu dem Altenheim, in dem Meemaw und Peepaw lebten, und stellte die Bude auf den Kopf, aber sie fanden den Ring nicht.

Danach wurde es ziemlich hässlich. Großtante Beatrice beschuldigte Großtante Martha, den Ring eingesteckt zu haben. Dann sagte Tante Gretchen, Meemaw hätte IHR den Ring versprochen, und wenn jemand ihn fände, müsste er ihn ihr geben.

Und schon lag sich die ganze Familie in den Haaren.

So endete unser letztes großes Familientreffen, und das ist wahrscheinlich auch der Grund, weshalb es seitdem keins mehr gab.

Ich glaube, die Sache mit dem Ring hat Mom ziemlich mitgenommen. Sie hofft, dass NIEMAND jemals Meemaws Ring FINDET, denn wenn das geschieht, könnte die Familie daran endgültig zerbrechen.

Wenn das aber bedeuten würde, dass wir keine Besuche mehr von Tante Gretchen und ihren Bälgern bekommen, dann bin ich voll und ganz dafür.

Sonntag

Was Feiertage betrifft, bin ich mehr der Weihnachtsmensch als der Ostermensch.

An Weihnachten kann man sich, sobald man von der Kirche nach Hause kommt, völlig gehen lassen.

An Ostern dagegen muss man den ganzen Tag die Kirchenklamotten anbehalten, wenigstens ist das in meiner Familie so. Heute sind wir direkt nach der Kirche zu Oma, und wir waren noch nicht DA, als mein Schlips mich schon in den Wahnsinn trieb.

Ich war nervös, weil ich damit rechnete, dass alles so weitergehen würde wie damals nach Meemaws Beerdigung, doch als wir bei Oma eintrafen, schien alles vergessen zu sein.

Mir ist nie wohl dabei, wenn ich einen Raum voller Verwandter betrete. Ich weiß, dass ich diese Leute ein- oder zweimal im Jahr sehe, aber es sind so viele, dass ich mich nicht mal an alle NAMEN erinnern kann. Umgekehrt scheinen sie aber nie irgendetwas zu vergessen, das MICH betrifft.

Ich versuche immer, an der Meute im Hausflur so schnell wie möglich vorbeizukommen und ein Plätzchen zu finden, wo nicht so viele Leute sind.

Mannis Strategie besteht darin, so zu tun, als würde er nicht sprechen. Ich gebe zu, ich bin ein bisschen neidisch und wünschte, MIR wäre das vor langer Zeit mal eingefallen.

Ich hätte nicht gedacht, dass nach dem Streit um den Diamantring so viele kommen würden, aber dieses Jahr schien es eher noch voller zu sein als sonst.

Zusätzlich zu den Onkeln und Tanten, die normalerweise kamen, waren auch ein paar von Moms Cousins und Cousinen da.

Ihr Cousin Gerald ist sogar aus Kalifornien angereist. Offenbar hat er gleich nach meiner Geburt für ein paar Monate bei uns gewohnt, aber ich wünschte, er würde mich nicht dauernd daran erinnern.

Sogar Moms Cousine Martina war da, und die ist auf kein Familienfest mehr gekommen, seit sie in Las Vegas reich geworden ist.

Soweit ich weiß, stand Martina eines Morgens am Frühstücksbuffet ihres Hotels, als sie einen anderen Raum mit noch mehr Essen bemerkte.

Doch als sie schnurstracks dorthin gehen wollte, stellte sie fest, dass es den Raum gar nicht GAB.

Sie hatte nur den Raum, in dem sie WAR, in einem deckenhohen Spiegel gesehen.

Martina brach sich das Schlüsselbein und verklagte das Hotel. Deshalb war ich mir ziemlich sicher, dass der Porsche, der in Omas Auffahrt parkte, ihr gehörte.

Auch Onkel Larry war zu Oma gekommen. Ich glaube nicht, dass er wirklich mit uns verwandt ist, aber irgendjemand hat ihn irgendwann mal eingeladen, und seitdem ist er immer dabei.

Onkel Larry ist sicher ein prima Kerl, aber er besetzt immer den besten Sessel und rührt sich nicht vom Fleck, bis es Zeit wird, sich zu verabschieden.

Dieses Jahr waren auch die beiden Schwestern von Oma dabei, und das, obwohl sie einander nicht AUS-STEHEN können. Jedes Weihnachten beschenken sie sich, aber ich glaube, sie tun das nur, um zu sehen, wer gemeiner sein kann.

An Ostern hat man in Omas Haus grundsätzlich drei Möglichkeiten, um sich zu beschäftigen: Man kann im Wohnzimmer sitzen und mit den Männern Golf gucken, man kann in die Küche gehen und sich mit den Frauen unterhalten, oder man hängt im Keller mit den Kindern ab.

Nichts davon ist was für mich, deshalb schließe ich mich jedes Mal im Bad ein, bis es Essen gibt.

Das Wichtigste an Ostern ist das Frühstück. Früher saßen wir alle an einem langen Tisch im Esszimmer, aber jetzt, wo die Familie größer geworden ist, essen Erwachsene und Kinder getrennt. Der Erwachsenentisch steht im Esszimmer, der für die Kinder in der Küche.

Ich bin froh, dass wir das geändert haben, denn vorher saß ich immer neben irgendwem, der sich MEHR für mein Leben interessierte als ich.

Außerdem zwang mich Mom am gemeinsamen Tisch oft, etwas zu essen, das ich nicht mag. Immer will sie, dass ich ihren Kartoffelsalat probiere. Das wäre auch kein Problem, wenn sie ihn nicht in der gleichen Schüssel machen würde, die sie auch benutzt, wenn einer von uns krank ist.

Ich esse sowieso nicht gern im Esszimmer, weil es total streng eingerichtet ist, und ich glaube, deshalb sind da alle immer so bierernst.

Vor ein paar Jahren hing Peepaw fast die ganze Zeit eine grüne Bohne von der Lippe. Das allein war schon zum Schießen, aber als sie auch noch in sein Wasserglas fiel, musste ich einfach lachen.

Ich dachte natürlich, alle ANDEREN würden auch lachen, aber niemand tat es. Dad starrte mich giftig an, also zog ich lieber den Kopf ein und aß meinen Schinken weiter.

Seitdem versuche ich immer, nicht zu lachen, wenn in Omas Esszimmer irgendwas Komisches passiert. Ich zwicke mir in den Oberschenkel oder beiße mir auf die Lippen, aber manchmal REICHT das nicht.

Einmal wollte Peepaw die Kerzen auf seiner Geburtstagstorte ausblasen, und dabei flog ihm das Gebiss raus.

Ich strengte mich so an, nicht zu lachen, dass ich dachte, mir platzt gleich eine Ader oder ein Augapfel fliegt raus oder so was.

Außerdem hatte ich GERADE erst einen großen Schluck Kakao genommen und musste irgendwie verhindern, dass er auf meinen Teller tropfte.

Ich versuchte, an etwas richtig Trauriges zu denken, aber alles, was mir einfiel, war Sweetie in seinem kleinen Pulli. Dann kam eins zum anderen, und ich hielt es einfach nicht mehr aus.

Jetzt, wo ich genau darüber nachdenke, glaube ich fast, dass wir Kinder auch wegen dieses Zwischenfalls einen eigenen Tisch in der Küche bekommen haben.

Ich bin mir nicht sicher, wie festgelegt wurde, wer als Kind gilt und wer als Erwachsener, denn Onkel Cecil sitzt am Tisch im Esszimmer. Ich weiß, dass es vielleicht so KLINGT, als wäre Onkel Cecil erwachsen, aber er ist erst drei oder vier.

Großtante Marcie hat ihn vor ein paar Jahren adoptiert, und das macht ihn wohl irgendwie zu meinem Onkel. Manchmal kommt es da zu ganz schön schrägen Gesprächen.

Ich finde, solange man einen Kinderstuhl braucht, hat man am Erwachsenentisch nichts zu suchen. Aber Onkel Cecil sitzt im Esszimmer bei den Erwachsenen, während Rodrick am Kindertisch sitzen muss, obwohl er praktisch schon ein richtiger Mann ist.

Heute habe ich mich so weit wie möglich von Malvin und Malcolm entfernt hingesetzt, aber dadurch landete ich neben meiner Cousine zweiten Grades, Georgia. Die hat einen Vorderzahn, der nur noch an einem Faden hängt.

GEORGIA

Ihr Zahn war schon beim LETZTEN Familientreffen so lose, und das ist JAHRE her. Jeder in der Familie versucht, sie zu überreden, ihn sich ziehen zu lassen, aber sie zögert es schon seit Ewigkeiten raus.

Als bei MIR ein Vorderzahn locker war, wollte ich auch nicht, dass ihn mir jemand zieht. Mom hat WOCHENLANG versucht, mich zu überreden, aber ich hatte zu große Angst. Am Ende behauptete sie, wenn mir der Zahn im Schlaf ausfiele, könnte ich ihn verschlucken, und das wäre wirklich gefährlich.

Ich wusste aber, dass das nicht stimmte, denn erst in der Woche vorher hatte Manni eins meiner Spielzeugautos verschluckt, und ER lebte noch.

Nach einer Weile wurde es Dad wohl zu bunt mit dem lockeren Zahn, denn er beschloss, die Sache selbst in die Hand zu nehmen. Er sagte, dass er mir einen Zaubertrick zeigen wollte. Dann band er ein Stück Garn um meinen lockeren Zahn und das andere Ende an einen Türknauf. Ich habe nicht begriffen, was los ist, bis es zu spät war.

Nachdem ich heute eine Dreiviertelstunde lang mitansehen musste, wie Georgia ihren Zahn mit der Zunge drehte, ging ich ins Wohnzimmer, weil Oma dort ihr Nähzeug aufbewahrt.

Als ich reinkam, war zu meiner Überraschung die Hälfte der Erwachsenen dort und durchwühlte Omas Fotoalben.

Nach allem, was ich herausfand, hatte Tante Audra von ihrem Medium erfahren, dass Meemaws Diamantring in einem Fotoalbum sei, und als die anderen das hörten, waren sie nicht mehr zu halten.

Dann sagte einer, das Medium hätte vielleicht gar nicht WÖRTLICH gemeint, dass der Ring in einem Fotoalbum sei, also fingen alle an, die Bilder durchzusehen, ob sich vielleicht ein Hinweis fand. Es dauerte nicht lange, da fiel Onkel Larry etwas ins Auge.

Er zeigte auf Fotos von unserem letzten gemeinsamen Ostern. Auf einem Bild trug Meemaw ihren Diamantring, auf dem nächsten NICHT mehr.

Man muss kein Genie sein, um zu wissen, wo ihr Ring abgeblieben war. Fünfzehn Sekunden später schoss alles in Omas Garten und suchte nach Meemaws Plastikeiern.

Ich schätze, jeder dachte, wenn der Ring in einem Ei steckt, dann gehört er dem Finder. Mom versuchte alle zum Nachtisch reinzurufen, aber vergeblich.

Es war schon erschreckend, wie meine Verwandten zu gierigen Furien wurden, doch ich muss zugeben, ein bisschen habe ich mich anstecken lassen. Aber während die anderen DRAUSSEN nach dem Ei suchten, suchte ich DRINNEN.

Leider erwischte mich Mom, als ich Omas Unterwäsche durchwühlte, und mir wurde klar, dass ich mich vielleicht ein wenig ZU SEHR hatte mitreißen lassen.

Ich glaube, da hatte Mom schon von allen gehörig die Nase voll, denn sie sagte, wir würden jetzt nach Hause fahren.

Ich glaube, niemand hat den Ring gefunden. Aber als wir aufbrachen, waren immer noch einige draußen und suchten.

Dienstag

Normalerweise bleibt Tante Gretchen mit ihren Söhnen eine Woche bei uns. Aber diesmal dauerte der Besuch nur zwei TAGE.

Das liegt an dem, was gestern Abend passiert ist. Danach sagte Dad ihnen, dass sie gehen müssen. Gestern Abend ging uns nämlich beim Essen der Ketchup aus, und deshalb rief Malcolm bei der Polizei an und erstattete Anzeige. Mom und Dad brauchten ungefähr zwei Stunden, um die ganze Sache mit den Cops zu regeln.

Nachdem Dad Tante Gretchen und ihre Söhne rausgeworfen hatte, packten sie ihre Sachen und zogen zu Oma.

Und ich bin mir sicher, das war ihnen nur recht, denn so haben sie viel mehr Zeit, nach dem Ei zu suchen.

Ich war froh, dass sie weg waren: Endlich bekam ich mein Bett zurück. Zwei Nächte hatte ich auf einer undichten Luftmatratze in Rodricks Zimmer verbracht.

Ganz egal, wie stark ich sie abends aufblies, am nächsten Morgen lag ich platt auf dem Boden.

Gestern entdeckte ich nach dem Aufwachen auf dem Fußboden etwas unter Rodricks Bett.

Es war so ein Magic 8 Ball, eine magische Billardkugel. Ich nehme an, Rodrick hat sie mal geschenkt bekommen und vergessen, nachdem sie unters Bett gerollt war.

Ich habe mich ziemlich gefreut über meinen Fund, denn ich hatte so ein Ding noch nie ausprobiert.

Einem Magic 8 Ball stellt man eine Frage, schüttelt ihn und wartet darauf, dass in dem kleinen Fenster eine Antwort erscheint.

Ich war neugierig, ob er WIRKLICH funktionierte, also probierte ich es aus. Ich überlegte mir eine Frage, konzentrierte mich darauf und schüttelte den Magic 8 Ball kräftig.

Ein paar Sekunden später erschien das hier in dem kleinen Fenster:

Ich muss sagen, ich war ganz schön beeindruckt. Trotzdem musste ich der Kugel noch ein paar Fragen stellen, ehe ich sicher sein konnte, dass es nicht bloß Zufall gewesen war.

Und jedes einzelne Mal lag die Kugel genau richtig.

Sogar als ich versuchte, sie aus dem Konzept zu bringen, gab sie mir eine Antwort, die mir ziemlich vernünftig vorkam.

Dann fiel bei mir der Groschen: Das Ding konnte nicht nur FRAGEN beantworten. Ich konnte es auch um RAT bitten.

Als Erstes fragte ich den Magic 8 Ball, ob ich duschen sollte und ob ich meinen Projektentwurf für die Wissenschaftsmesse an unserer Schule wirklich heute fertig machen müsste. Auf die Duschfrage erhielt ich ein „Ja", aber was das Projekt anging, sprach der Magic 8 Ball mich frei.

Seht ihr, genau DAS hat mir mein Leben lang gefehlt. Jetzt, wo ich etwas habe, das mir die kleinen Entscheidungen abnimmt, kann ich mich endlich auf die WICHTIGEN konzentrieren.

In der Schule haben wir gelernt, dass Albert Einstein jeden Tag das Gleiche trug, damit er keinerlei Gedankenkraft auf die Klamottenwahl zu verschwenden brauchte.

Und der Magic 8 Ball wird genau DAS für mich tun.

Wenn ich ehrlich sein soll: Nachdem ich den Magic 8 Ball heute den ganzen Tag benutzt habe, weiß ich nicht mehr, wie ich früher ALLEIN zurechtgekommen bin.

Donnerstag

Nachdem ich ein paar Tage mit dem Magic 8 Ball herumgespielt hatte, wurde mir klar, dass auch er Grenzen hat. Das heißt aber noch lange nicht, dass ich ihn deswegen SCHON aufgebe. Ein paarmal habe ich versucht, mir bei den Mathehausaufgaben helfen zu lassen, aber er gibt einem einfach keine klaren Antworten.

Und manchmal, wenn man ganz DRINGEND eine Antwort braucht, lässt der Magic 8 Ball einen auch hängen.

Auf dem Rückweg von der Schule attackierte mich heute eins von den Mingo-Kids mit einem Stock. Ich fragte den Magic 8 Ball, ob ich kämpfen oder fliehen sollte, und schüttelte ihn ordentlich.

Aus irgendeinem Grund konnte er sich nicht entscheiden.

Aber noch am Nachmittag hat die Kugel es WIEDERGUTGEMACHT. Mom sagte, ich verbrächte zu viel Zeit drinnen und müsste nach draußen an die frische Luft.

Kaum hatte Mom den Raum verlassen, befragte ich den Magic 8 Ball, ob ich Moms Rat befolgen sollte, und die Antwort hätte nicht deutlicher sein können.

Also versteckte ich mich in Moms Wandschrank, denn ich wusste, dass sie dort ZULETZT nach mir suchen würde.

Während ich darauf wartete, dass die Luft wieder rein war, entdeckte ich auf dem obersten Regalbrett einen Stapel Bücher.

Sie standen versteckt hinter einigen Schuhkartons, also war klar: Mom wollte nicht, dass sie jemand fand. Zuerst kapierte ich überhaupt nicht, warum sie diese Bücher in ihrem Schrank lagerte, statt sie offen ins Regal zu stellen. Doch als ich die Titel gelesen hatte, wurde es mir klar.

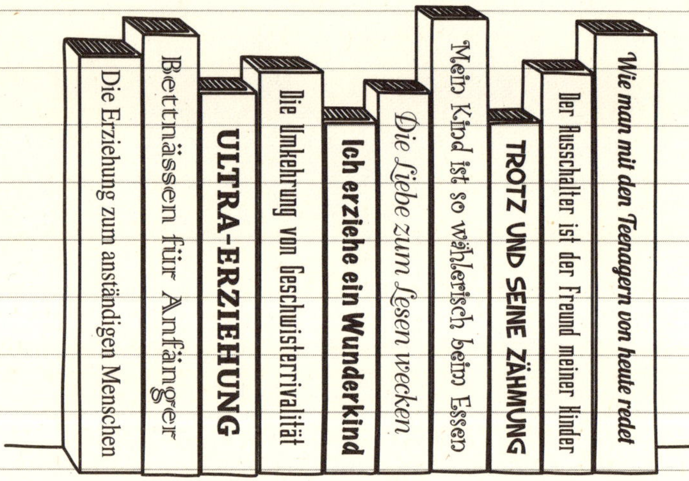

Diese Bücher sind sozusagen Moms Geheimwaffen, und sie will nicht, dass wir Kinder von ihnen erfahren.

Ich blätterte in ein paar Büchern rum, und einiges davon hat mir wirklich die Augen geöffnet. Ich fand eins, in dem es um etwas namens „umgekehrte Psychologie" ging.

Die Idee ist, dass man seine Kinder dazu bringt, einem zu gehorchen, indem man ihnen das Gegenteil von dem sagt, was man will. Wenn ich es mir recht überlege, haben Mom und Dad diese Technik gegen uns eingesetzt, solange ich denken kann.

Als ich noch jünger war, habe ich Mom und Dad förmlich ANGEBETTELT, beim Abwasch helfen zu dürfen, aber sie sagten mir immer, ich wäre noch zu klein.

An meinem achten Geburtstag erlaubten sie mir endlich, die Teller abzutrocknen, und ich war so stolz und glücklich, als hätten sie mir eine Million Dollar geschenkt. Jetzt begreife ich, dass es nur ein Trick war, und Rodrick muss auch darauf reingefallen sein.

Mom hatte ein Buch zu so gut wie jeder Situation, in die Eltern bei der Erziehung ihrer Kinder geraten können. Ich habe mich immer gefragt, wo Mom ihre Ideen herhat. Jetzt weiß ich es.

Als ich neun war, fand ich eine Raupe, die über die Treppe vor unserer Haustür kroch. Ich nannte sie Rob und hielt sie in einem alten Marmeladenglas mit Löchern im Deckel.

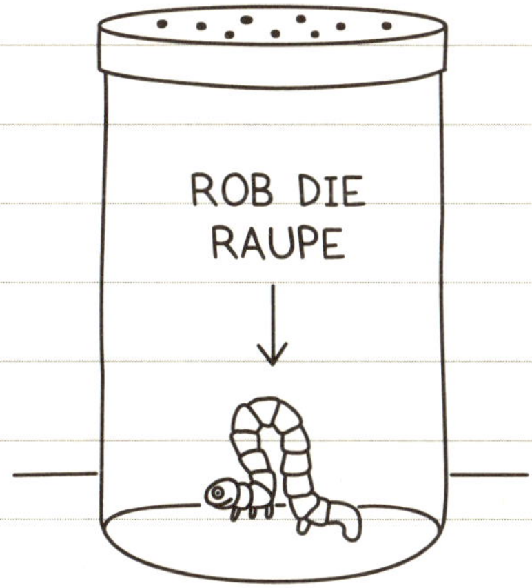

Jeden Tag ließ ich sie raus, damit sie ein bisschen Bewegung bekam.

Zu der Zeit lernte Manni gerade laufen, was für Rob die Raupe eher ungünstig war.

Ich war total fertig, und abends kam Mom in mein Zimmer und redete mit mir.

Sie sagte mir, ich solle nicht traurig sein, weil Rob jetzt im „Raupenhimmel" sei. Dort scheine immer die Sonne, und es gebe tonnenweise grüne Blätter zu fressen. Und ich muss gestehen, dass ich mich danach sehr viel BESSER fühlte.

Tja, heute habe ich rausgefunden, WOHER Mom diese Idee hatte.

Ein Buch sah ziemlich neu aus, und als ich das herauszog, kapierte ich plötzlich EINIGES.

Moms Schrank klärte noch mehr Rätsel auf. Als ich in den Kindergarten ging, hatte ich ein Plüschäffchen namens Kitzel, das ich jeden Abend zum Einschlafen mit ins Bett nahm.

In jenem Sommer fuhren wir im Urlaub ans Meer, und ich nahm Kitzel natürlich mit. Doch als wir an einem Nachmittag in unser Hotelzimmer kamen, war Kitzel VERSCHWUNDEN.

Mom vermutete, dass die Reinigungskraft Kitzel versehentlich mit der Bettwäsche zusammengerafft hatte. Deshalb gingen wir nach unten zum Waschraum, um zu sehen, ob er dort gelandet war.

Aber DORT war er auch nicht. Mittlerweile war ich ziemlich panisch, und Mom sagte, ich soll ein paar Flyer malen, die wir überall im Hotel aufhängten.

WER HAT MICH GESEHEN?

Name: Kitzel
Größe: 40 cm
Zuletzt gesehen:
Hotel Meerblick
Bitte abgeben:
Rezeption, Hotel
Meerblick

Am nächsten Tag gingen wir an den Strand, aber ich war wegen Kitzel untröstlich.

Dad spielte Dosenwerfen an einer Bude und gewann für mich ein Plüschtier als Ersatz für Kitzel, aber das war nicht das Gleiche.

Der Verlust von Kitzel verdarb uns ALLEN den Urlaub, und wir fuhren einen Tag früher als geplant nach Hause. Am Abend ging ich wie gewohnt schlafen, und als ich am nächsten Morgen aufwachte, saß Kitzel auf meiner Kommode, als wäre nichts geschehen.

Mom sagte, Kitzel müsse den Weg nach Hause allein gefunden haben, weil er mich so lieb hat. Das habe ich sehr lange Zeit geglaubt.

Doch hinter Moms Büchern fand ich FÜNF Plüschäffchen, die alle ganz GENAUSO aussahen wie Kitzel.

Das konnte nur bedeuten, dass Mom einen Haufen Ersatzäffchen gekauft haben musste, nachdem das Original verloren gegangen war.

Wer kann da noch WISSEN, welche Version von Kitzel in diesem Moment auf dem Regal in meinem Schrank sitzt?

Wenn ich so darüber nachdenke, fällt mir ein, dass Mom Kitzel mal waschen musste, weil ich ihn mit Kakao bekleckert hatte. Als sie die Waschmaschine öffnete, sah es aus, als wäre darin ein Kissen explodiert.

Aber abends nach dem Baden saß Kitzel wieder auf meinem Bett, als sei nichts geschehen. Nach meinen Berechnungen könnte der aktuelle Kitzel durchaus der vierte oder fünfte seiner Art sein.

Das erklärt AUCH, weshalb Manni zehn Plüschdinos in seinem Bett hat.

Ursprünglich hatte er nur EINEN namens Rexy, aber er hat wohl LANGE vor mir Moms Geheimvorrat entdeckt.

Ich wollte Moms Schrank weiter erkunden, denn wer weiß, was es dort NOCH zu entdecken gab, aber dann hörte ich, wie sie die Treppe heraufkam, und verkrümelte mich.

Jetzt, wo ich Moms Erziehungsratgeber kenne, sollte ich meiner Familie einen Schritt voraus sein. Und DAS habe ich nur dem Magic 8 Ball zu verdanken.

Dienstag

Heute Abend wollte ich ausprobieren, ob die Tricks aus Moms Büchern auch bei ERWACHSENEN funktionieren.

Seit EWIGKEITEN bitte ich Mom und Dad schon um ein eigenes Handy, aber Mom sagt immer, ich HÄTTE ja schon eins. Sie meint mein Marienkäfer-Notrufhandy, und das ist mehr was für Kindergartenkinder.

Als Rodrick und ich heute Abend das Geschirr abtrockneten, probierte ich die umgedrehte Psychologie an Mom und Dad aus.

Ich war mir echt nicht sicher, ob es funktionieren würde, und war entsetzt, wie SCHNELL die umgedrehte Psychologie wirkte. Kurz darauf kam Mom in mein Zimmer und sagte, sie wolle sich ein neues Handy kaufen und MIR ihr ALTES geben.

Aber vorher müssten einige „Grundregeln" geklärt werden, sagte sie. Ich müsste mir das Handy mit Manni teilen, weil er es für seine Lernspiele braucht.

Außerdem verbot sie mir, meinen Freunden damit zu simsen.

Na ja, SMS an meine Freunde sind bei mir gerade kein Thema, denn ich HABE ja keine Freunde. Das Handy mit Manni zu teilen, ist aber echt übel.

Manni macht gern Fotos mit Moms Handy, aber ich will wirklich nicht, dass SEINE Bilder zwischen MEINEN Bildern landen.

Trotzdem freute ich mich natürlich tierisch, endlich mal ein anständiges Handy in die Finger zu bekommen.

Ich verbrachte einige Zeit damit, es mit einem neuen Hintergrundbild und verschiedenen Klingeltönen auf mich abzustimmen. Währenddessen kam eine SMS von Oma, die offensichtlich an Mom gerichtet war.

Mom hatte mir verboten, meinen Freunden zu simsen, aber von der VERWANDTSCHAFT war nie die Rede gewesen.

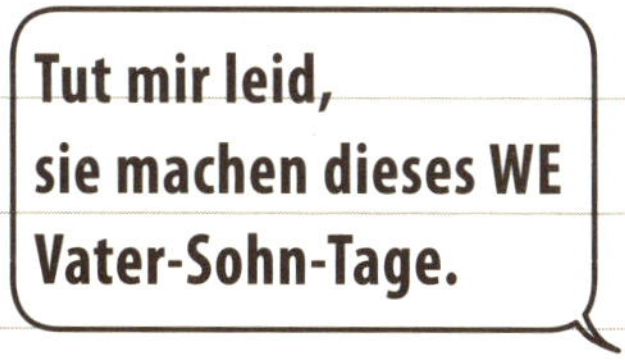

Nachdem ich das erledigt hatte, lud ich einen Haufen Spiele runter und amüsierte mich.

Doch mitten in einem Spiel rief Tante Veronica per Videochat an.

Das LETZTE, was ich in der Abgeschiedenheit des Badezimmers zu sehen erwartet hatte, war Tante Veronicas GESICHT.

Daher ist es wohl verständlich, dass ich etwas überrascht war.

Ich fischte das Handy sofort aus dem Klo und tat alles, um es wieder anzubekommen, aber es war zwecklos.

Mir tat es schon leid, dass ich es kaputt gemacht hatte, aber zu meiner Verteidigung kann ich sagen: Ich hatte Mom und Dad GEWARNT, dass das zu viel Verantwortung für mich ist.

Mittwoch

Ich bin's echt leid, immer mit Todesangst am Mingo-Kids-Wald vorbeizugehen, aber mir ist aufgefallen, dass die Typen uns immer nur auf dem Nachhauseweg anfallen. Also beschloss ich, sie einfach warten zu lassen, bis sie aufgaben.

Das bedeutete aber, dass ich nach Unterrichtsschluss einen Zeitvertreib brauchte. Es gibt eine ganze Reihe von Arbeitsgemeinschaften am Nachmittag, aber bisher hatte ich mich noch nie für eine AG interessiert.

Mathe-AG

Theater-AG

AG Internationale Beziehungen

Poesie-AG

Heute blieb ich also nach dem Unterricht in der Schule, um zu sehen, ob es etwas gab, das zu mir passte.

Die Brettspiel-AG klang nach einer Menge Spaß, aber sie wird von Mr Nern geleitet, und mit dem habe ich dieses Jahr schon genug Zeit verbracht.

Es gibt auch eine Kissenschlacht-AG, aber ein Blick in den Raum, in dem sie stattfindet, machte mir klar, dass das nicht mein Ding ist.

Es gibt ein paar AGs, die sind WIRKLICH grenzwertig, zum Beispiel die Ich-drück-dich-AG, die in diesem Frühjahr gegründet wurde.

Ich konnte mich nicht entscheiden, also überließ ich das dem Magic 8 Ball. Ich ging zu jedem AG-Raum und schüttelte die Billardkugel vor der Tür, um zu sehen, ob ich beitreten sollte.

Ich bekam ganz oft „Nein" oder „Frag später noch einmal" zur Antwort, aber als ich vor der Jahrbuch-AG stand, kam ein „Ja, unbedingt".

Als ich eintrat, schien die AG gerade mitten in einer Besprechung zu sein.

Ich wartete geduldig, bis die Besprechung vorüber war, dann ging ich zur Chefredakteurin, Betsy Buckles, und fragte, ob ich mitmachen könnte.

Betsy antwortete, das Jahrbuch sei fast fertig, aber sie bräuchten noch ein paar Fotos für die Seite „versteckte Kamera". Sie fügte hinzu, dass die Schule fünf Dollar für jedes Foto zahlt, das ins Jahrbuch kommt, und ich überlegte nicht lange.

Wenn ich den Mingo-Kids aus dem Weg gehen kann UND auch noch Geld kriege, was soll da schiefgehen?

Donnerstag

Heute war mein erster Arbeitstag als Jahrbuch-Fotograf, und es war schwieriger, als ich dachte. Ich wollte spannende Bilder, aber wenn ich ehrlich bin, machen meine Mitschüler nie etwas SPANNENDES.

Ich versuchte, meinen Fotojob zu machen, während ich GLEICHZEITIG Vollzeitschüler war, und das machte es nicht einfacher.

Ich hoffte die ganze Zeit, dass jemand etwas richtig Dämliches machen würde, damit ich ein tolles Foto davon schießen könnte. Aber aus irgendeinem Grund zeigten sich heute alle von ihrer besten Seite. Ich wollte UNBEDINGT ein Foto von Jamar Law, wie er mit dem Kopf in einer Stuhllehne stecken bleibt.

Im LETZTEN Jahrbuch gibt es so ein Bild von ihm, und wenn er das noch mal machte, wollte ich dabei sein. Ein Fotograf soll zwar seine Motive nicht beeinflussen, aber ich versuchte, Jamar wenigstens einen kleinen SCHUBS in die richtige Richtung zu geben.

Alle Fotos in einem Jahrbuch oder einer Zeitschrift haben eine kleine Bildunterschrift.

Als ich am Ende des Tages meine Fotos einreichte, versah ich sie mit solchen kurzen Kommentaren, damit Betsy wusste, was sie vor sich hatte.

Ich bin mir ziemlich sicher, dass Doug Parkers Hosenstall offen steht.

Idioten im Bus.

Trevor Wilson verlässt das Schulklo, ohne sich die Hände zu waschen.

Nicht schon wieder! Chad Middleton muss mit Nasenbluten zur Schulschwester.

Das Tollste an Fotos ist, dass sie heutzutage digital sind, und wenn man etwas an einem Bild nicht leiden kann, lässt es sich am Computer problemlos verbessern.

Auf ein paar Fotos, die ich beim Mittagessen aufgenommen hatte, blinzelte jemand, und ohne Bearbeitung wären sie UNBRAUCHBAR gewesen.

Ich finde, jedes Jahrbuch braucht ein wenig Humor, deshalb habe ich ein paar Fotos überarbeitet. Hoffentlich ist Mr Blakely nicht allzu sauer, wenn er das hier sieht.

Mir wurde klar, dass man als Jahrbuch-Fotograf auch eine Menge MACHT hat.

Ich kann entscheiden, wer ins Jahrbuch kommt und wer NICHT. Und wenn mich jemand ÄRGERT, kann ich mich rächen.

Nach der Schule habe ich ein Foto von Leon Feast gemacht, und als ich daran am Computer herumspielte, schrumpfte ich seinen Kopf um 75%. Ich hoffe, dass die Redaktion es durchgehen lässt. Und wenn ja, dann verdanke ich meine kleine Rache nur dem Magic 8 Ball.

Montag

Am Wochenende hatte ich endlich Gelegenheit, wieder in Moms Schrank zu stöbern, und hinter ihren Winterstiefeln fand ich meine alte Kuscheldich-Ganzkörperdecke.

Ich konnte es nicht FASSEN. Nach dem Ding hatte ich in den vergangenen Monaten wie blöd gesucht, dabei war es die ganze Zeit in Moms Schrank gewesen.

Die Decke habe ich letztes Jahr von Mom und Dad zu Weihnachten bekommen. Ich gebe zu, als ich die Schachtel sah, war ich alles andere als begeistert.

Das änderte sich in dem Augenblick, als ich sie überzog. Sagen wir einfach, ganz egal, wer die Kuscheldich entwickelt hat, er ist ein GENIE.

Ihr kennt das sicher auch: Wenn man in eine schöne warme Decke gemummelt Fernsehen guckt und dann was trinken oder die Fernbedienung nehmen will, muss man sich wieder komplett auswickeln.

Nun, Ganzkörperdecken LÖSEN genau dieses Problem. Sie sind wie eine normale Decke, haben aber Ärmel mit FÄUSTLINGEN. Damit kann man alles Mögliche in die Hand nehmen, ohne jemals die Haut der kalten Luft auszusetzen.

Die Kuscheldich besteht aus Flanell, und wenn man sie überzieht, ist es so, als läge man im Bett.

RODRICK hat auch eine Kuscheldich bekommen, und ich glaube, er mochte SEINE noch mehr als ich MEINE. Nachdem Rodrick sie zum ersten Mal übergezogen hatte, zog er sie fünf Tage nicht mehr aus.

Ich glaube, er wäre für immer dringeblieben, wenn Mom ihn nicht gezwungen hätte, duschen zu gehen.

Rodrick schlief sonst nur in seinem Bett oder auf dem Sofa, aber kaum hatte er eine Kuscheldich, nickte er praktisch immer ein, wenn ihm danach war.

Mom und Dad machten das eine Weile mit, aber Rodrick und ich haben es vermutlich zu weit getrieben, denn bald verschwanden unsere Kuscheldichs auf geheimnisvolle Weise.

Als ich meine Kuscheldich wiederfand, wusste ich nicht, was ich TUN sollte.

Wenn ich damit durchs Haus stolzierte, wüsste Mom sofort, dass ich in ihrem Schrank herumgeschnüffelt habe. Im Grunde konnte ich sie nur im Bett tragen, aber das würde ja ihrem Daseinszweck widersprechen.

Als ich mich aber am Morgen für die Schule fertig machte, hatte ich eine Idee.

Mir wurde klar, dass niemand etwas merken würde, wenn ich die Kuscheldich UNTER meiner Schulkleidung trug. Dann hätte ich während des Unterrichts immer das Gefühl, ich läge im BETT.

Ich wünschte nur, ich hätte das ein bisschen genauer durchdacht. Eine Ganzkörperdecke ist vielleicht bequem, wenn man sie zu Hause beim Fernsehgucken trägt, aber darin zur SCHULE zu gehen ist etwas ganz anderes.

Die Kuscheldich hat ganz kurze Beine, und man sieht damit beim Gehen aus wie ein Pinguin.

Ich konnte meinen Spind mit den Fäustlingen nicht öffnen, und der Versuch, beim Sport damit Hampelmänner zu machen, war HOFFNUNGSLOS.

Außerdem erfuhr ich den Nachteil von Flanell, wenn einem richtig WARM wird.

Nach der Sportstunde waren die Füßlinge meiner Kuscheldich mit Schweiß vollgesogen, und ich wusste, das war's mit meiner Idee.

Aber als ich versuchte, die Kuscheldich AUSZU-ZIEHEN, ging der Reißverschluss kaputt.

Ich hätte es WISSEN müssen: Man darf sich auf nichts verlassen, wofür im Fernsehen Werbung gemacht wird.

Ich versuchte mich aus der Kuscheldich zu schälen, indem ich die Arme durch die Halsöffnung schob, aber ich bekam die Ellbogen nicht raus.

Ich geriet in Panik, weil das Ding kein bisschen atmungsaktiv war und ich Angst hatte, ich könnte darin lebendig gebacken werden wie ein Mikrowellen-Burrito.

Nach einer Weile atmete ich tief durch, um mich zu beruhigen. Ich hatte nur noch ein paar Stunden, danach konnte ich nach Hause und mich freischneiden.

In der letzten Stunde hatte ich Sozialkunde, und wir schrieben einen Test. Ich hatte NICHT gelernt, daher war ich froh, dass es nur Ja/Nein-Aufgaben waren.

Denn das ist GENAU das, worin der Magic 8 Ball gut ist.

Als der Test begann, holte ich den Magic 8 Ball raus und ging die Fragen durch. Einige Antworten schienen mir falsch, aber der 8 Ball hatte mich schon SO WEIT gebracht, dass ich jetzt nicht anfangen wollte, sein Urteil in Zweifel zu ziehen.

Allerdings dauerte das ZIEMLICH lange. Die anderen gaben schon ihre Blätter ab, und ich hatte noch nicht mal die Hälfte geschafft.

Ich machte mir Sorgen, dass ich nicht rechtzeitig fertig werden würde, und der 8 Ball hielt mich immer mehr HIN.

Ich schüttelte ihn fester, um ein paar richtige Antworten zu bekommen, und da rutschte er mir weg.

Der Magic 8 Ball knallte auf den Boden, und ehe ich ihn fangen konnte, rollte er Mrs Merritt DIREKT vor die Füße.

In dem Moment klingelte es, und nachdem die anderen gegangen waren, nahm Mrs Merritt mich mit zu Konrektor Roy. Mrs Merritt erklärte ihm, sie hätte mich auf frischer Tat ertappt, wie ich bei einem Test mit einem „hochtechnischen Schummelwerkzeug" betrügen wollte.

Ich glaube, Konrektor Roy war ein wenig unsicher, aber er nahm Mrs Merritts Behauptung dennoch ernst. Er rief MOM an, und zehn Minuten später stand sie in seinem Büro.

Ich muss es Mom hoch anrechnen, dass sie zu mir gehalten hat. Sie erklärte deutlich, dass der Magic 8 Ball nur ein harmloses Spielzeug ist, das ich UNMÖGLICH zum Betrügen hätte benutzen können.

Ich wollte Mom schon unterbrechen und sie bitten, den Magic 8 Ball nicht zu beleidigen, doch dann sagte ich mir, dass ich damit vielleicht lieber warten sollte. Mom hatte noch nichts zur Kuscheldich gesagt, und ich wollte ihren Zorn nicht auf mich lenken.

Ich dachte, Konrektor Roy lässt mich noch mal davonkommen, aber dann rief er sich meine Schülerakte auf. Er sagte, meine Zensuren seien in letzter Zeit sehr auf dem absteigenden Ast; ich sei in jedem einzelnen Fach schlechter geworden. Außerdem hatte ich seit drei Wochen keine Hausaufgabe mehr abgegeben.

Na ja, das mag ja sein, aber seit Fregley meine Schulbücher weggeworfen hat, ist es irgendwie schwierig, die Hausaufgaben zu machen.

Dann ließ Konrektor Roy die Bombe platzen. Er sagte, wenn sich meine Noten nicht innerhalb der nächsten paar Wochen verbesserten, müsste ich in die SOMMERSCHULE.

DAMIT hatte er mich. Ich habe Gerüchte über die Sommerschule gehört, und ganz bestimmt möchte ich DA nicht hin.

Erstens weiß ich, dass während der Sommerferien die Klimaanlage abgestellt wird, um Strom zu sparen.

Die Stunden ähneln mehr dem Nachsitzen als dem normalen Unterricht, und kein einziger von unseren Lehrern ist da. Ich habe sogar gehört, dass der HAUSMEISTER dort Englisch unterrichtet.

Ich weiß nicht, ob Konrektor Roy mir nur Angst machen wollte, aber wenn es so ist, dann ist es ihm GELUNGEN. Allein die Vorstellung, meine Sommerferien mit Mr Meeks zu verbringen, reicht, um mich zum Einserschüler zu machen.

Donnerstag

Ich weiß nicht genau, wie meine Noten so absacken konnten, denn das Schuljahr hatte ganz GUT angefangen. Im Zwischenzeugnis hatte ich lauter Einsen und Zweien, und Mom ging sogar mit mir ins Eiscafé, um das zu feiern.

RODRICK durfte allerdings auch mit, obwohl sein Zwischenzeugnis eine absolute Katastrophe gewesen ist.

Das war mir eine Lehre. Man kann sich anstrengen, wie man will, es gibt immer einen Schmarotzer, der davon profitiert.

Ich weiß, dass ich bei Weitem kein Musterschüler bin, aber ich musste mir auch nie Sorgen über die SOMMERSCHULE machen.

Diese Woche habe ich deshalb alles getan, um meine Lage zu verbessern. Mom hat mir gebrauchte Bücher besorgt, und ich habe jeden Abend am Schreibtisch verbracht, um meine Hausaufgaben nachzuholen.

Aber in einigen Fächern, in denen ich auf der Kippe stehe, GIBT es keine Hausaufgaben. Eins davon ist Musik, und mein Problem DORT ist, dass ich nicht mitmache. Das tut keiner von uns Jungs, und deshalb stellt sich Mrs Norton direkt vor uns, um uns zum Singen zu bringen.

Wenn Mr Meeks in der Sommerschule den Englischlehrer macht, dann will ich mir nicht einmal VORSTELLEN, wie der Musikunterricht aussehen könnte.

Ich entschied, dass ich von HEUTE an Mrs Nortons bester Schüler sein würde.

Als sie zu Beginn der Stunde meinen Namen aufrief, stand ich sofort auf und gab das Lied zum Besten, das wir gerade lernten.

Mrs Norton wartete, bis ich fertig war, dann sagte sie, sie hätte mich gar nicht gebeten zu SINGEN, sie wollte nur die Anwesenheit feststellen.

Die ganze Woche über hat Mom mir geholfen, meine Hausaufgaben nachzuliefern, aber bei einer Sache bleibt sie hart, die muss ich ALLEIN schaffen: mein Wissenschaftsprojekt. Das stinkt mir ganz schön, denn Naturwissenschaften sind einfach nicht meine Stärke.

Für die LETZTE Wissenschaftsmesse wollte ich ein Experiment zur Metamorphose vorführen. Ich sammelte etwa ein Dutzend Raupen und packte sie mit Blättern, die sie essen sollten, in eine Schachtel, und sie haben sich alle verpuppt.

Ich plante, den Karton EXAKT in dem Moment zu öffnen, in dem sich die Raupen in Schmetterlinge verwandelten, und so bei den Schiedsrichtern Eindruck zu schinden.

Ich arbeitete hart daran und gab mein Projekt sogar einen Tag FRÜHER ab als nötig. Nur stellte ich die Schachtel mit den verpuppten Raupen auf die Heizung im Laborsaal, und das war leider ihr Ende.

Heute verbrachte ich die Mittagspause in der Schulbücherei und suchte nach Ideen für mein Projekt, als Betsy Buckles hereinkam und sagte, sie bräuchten mich im Jahrbuch-Büro.

Sie sagte, die Ergebnisse der Abstimmungen wären da, und bat mich, die Sieger zu fotografieren.

Ich habe dieses Jahr keine Lust gehabt, abzustimmen, und wusste gar nicht, wer zur Wahl gestanden hatte. Doch als die Sieger hereinmarschierten, war nicht schwer zu erraten, wer in welcher Kategorie gewonnen hatte.

Die meisten Sieger waren genau die, auf die jeder getippt hätte. Bryce Anderson gewann in der Kategorie „beste Frisur", Cecilia Faramir wurde zum „größten Talent" gekürt und Jenna Stewart als „am besten gekleidet" ausgezeichnet.

Die einzige ECHTE Überraschung war, dass Liam Nelson den Titel „best aussehend" errang. Liam gehört allerdings zur Jahrbuch-AG und war mit der Stimmenauszählung betraut, also sagt mir irgendwas, dass er das Ergebnis manipuliert hat.

Als Fregley zur Tür hereinkam, war ich verwirrt. Die einzige Kategorie, in der ich ihn sah, war „Klassenclown", aber dafür hatte ich gerade Jeffrey Laffley fotografiert.

Also sah ich auf die Liste von Betsy und stellte fest, dass Fregley zum BELIEBTESTEN Schüler gewählt worden war. Wenn man überlegt, wie es in letzter Zeit gelaufen ist, wundert mich das auch nicht mehr.

Ich war also deshalb schon mies drauf, als die letzten beiden in den Raum kamen, um sich fotografieren zu lassen.

Ich sah auf die Liste, und als ich beim untersten Punkt ankam, wurde mir schlecht.

Süßestes Pärchen	....	Rupert Jefferson + Abigail Brown

Man hat mir im Leben schon einiges Unangenehme zugemutet, aber glaubt mir, NICHTS ist mit dem zu vergleichen, was ich heute durchmachen musste.

Danach legte ich offiziell mein Amt als Jahrbuch-Fotograf nieder und gab die Kamera zurück. Denn für alles gibt es Grenzen, und irgendwann ist für jeden mal Schluss.

Montag

Seit mir in Mrs Merritts Unterricht der Magic 8 Ball aus der Hand gerutscht ist, geht alles in die Brüche.

Nachdem Konrektor Roy ihn mir zurückgegeben hatte, merkte ich, dass die Kugel beträchtlich leichter geworden war. Sie hatte beim Aufprall einen Riss bekommen, und die blaue Flüssigkeit hinter dem kleinen Fenster sickerte heraus. Das bedeutete, sie war absolut NUTZLOS.

Am Ende habe ich sie auf dem Nachhauseweg von der Schule über Omas Gartenzaun geworfen. In letzter Zeit vermisse ich die Kugel SEHR, denn ich musste ein paar echt schwierige Entscheidungen treffen.

Ich holte meine Hausaufgaben schließlich alle nach, aber mein Wissenschaftsprojekt muss ich am Donnerstag abgeben, und ich habe noch nicht mal eine IDEE.

Da fiel mir Erick Glick ein. Immer wieder hatte ich gehört, dass er einem alte Arbeiten besorgen kann, und vielleicht galt das ja auch für ein altes Wissenschaftsprojekt.

Andererseits war ich mir nicht ganz sicher, ob ich mich wirklich mit einer zwielichtigen Gestalt wie Erick einlassen sollte. So eine Entscheidung hätte ich normalerweise dem Magic 8 Ball überlassen, aber heute war ich auf mich allein gestellt.

Aber ich war ganz schön verzweifelt, deshalb ging ich in der Mittagspause in die dunkle Ecke hinter der Schule, wo er immer rumhängt, und schilderte ihm meine Lage.

Erick sagte, er würde das schon für mich deichseln. Er machte an einer Tür gleich nebenan, die keinen Knauf hatte, ein geheimes Klopfzeichen. Die Tür wurde von innen geöffnet.

Es dauerte ein bisschen, bis sich meine Augen an die Dunkelheit gewöhnt hatten, aber dann sah ich, dass wir offenbar in einer Art Lagerraum waren. Um einen Tisch mit einem Haufen Papiere stand ungefähr ein halbes Dutzend Schüler.

Auf dem Tisch lagen alte Buchbesprechungen und Geschichtsreferate und eine Menge anderer Aufsätze.

Das Sagen hatte hier offenbar Dennis Denard, der in die achte Klasse geht, aber schon zweimal wiederholen musste. Ich nehme an, dass er ABSICHTLICH auf der Mittelschule geblieben ist, denn er hat sich hier ein wirklich umfangreiches Geschäft aufgebaut.

Erick erklärte Dennis, ich bräuchte ein Wissenschaftsprojekt, und Dennis führte mich in einen abgetrennten Bereich am anderen Ende des Lagerraums, wo ganze REGALE voller fertiger Projekte standen.

Soweit ich das erkennen konnte, kostete ein Projekt umso mehr, je besser es war.

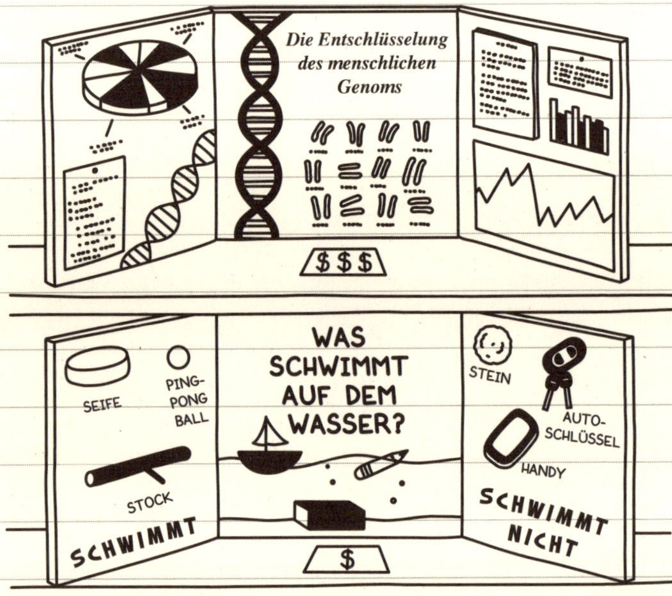

Ein Projekt kam mir ziemlich bekannt vor, und als ich es mir genauer ansah, wusste ich auch, wieso. Es war ein altes Projekt von RODRICK, aus der Zeit, als ER noch auf die Mittelschule ging.

Ich weiß noch, wie Rodrick daran arbeitete. Seine Idee war herauszufinden, ob unterschiedliche Arten von Musik einen Einfluss darauf haben, wie schnell Blumen wachsen.

Also stellte er eine Topfblume in jedes Zimmer im Haus, wo Musik lief.

Alle Blumen verwelkten innerhalb von zwei Wochen, und Rodrick dachte, dass die Musik tödlich für sie gewesen sei. Doch dann erklärte ihm Mom, dass die Pflanzen eingegangen waren, weil er sie nicht GE-GOSSEN hatte.

Ich vermute, die Schule stellt die alten Projekte einfach in den Lagerraum, ob sie eine gute Note bekommen haben oder nicht.

Ich weiß nicht, ob der Anblick von Rodricks altem Projekt es auslöste, aber mir kamen immer mehr Bedenken. Ich glaube, Dennis und Erick merkten, dass ich kalte Füße bekam, denn sie drängten mich zu einer Entscheidung.

Ich sagte Dennis, ich hätte gar kein Geld dabei und würde morgen wiederkommen.

Erick verlangte, dass ich zum BEWEIS meine Taschen ausleerte, aber da sah ich, dass die Tür nach draußen einen Spalt offen stand, und machte, dass ich wegkam.

Ich bin mir nicht sicher, ob ich mich wirklich mit den Dennis Denards und Erick Glicks dieser Welt einlassen soll. Denn wenn man den ersten Schritt einmal gegangen ist, führt kein Weg zurück.

Mittwoch

Also, damit hätte ich nicht gerechnet. Eine Woche nachdem Rupert und Abigail zum süßesten Pärchen gekürt wurden, heißt es auf dem Schulhof, dass Schluss ist.

Ich habe gehört, Abigail ist wieder mit ihrem Ex-freund, Michael Sampson, zusammen, und es wird gemunkelt, dass sie sowieso nur mit Rupert zusammen war, um Michael eifersüchtig zu machen.

Offenbar ist ihr Plan AUFGEGANGEN. Aber soweit ich weiß, hat Rupert es auf die harte Tour rausgefunden.

Trotzdem bleibt mir keine Zeit, Rupert zu bedauern, ich habe EIGENE Sorgen.

Gestern musste ich zum zweiten Mal nach der Schule in der Bücherei bleiben, um für mein Projekt was nachzulesen, das ich morgen abgeben muss.

Und übrigens, ich bin ganz schön froh, dass ich mich nicht auf die Dennis-Denard-Lösung eingelassen habe, denn heute hat jemand einem Lehrer einen Tipp gegeben, und im Lagerraum gab es eine Razzia.

Wer im Lagerraum erwischt wurde, muss bis zum Ende des Schuljahres jeden Tag nachsitzen, und ich glaube, die Strafe schließt automatisch die Sommerschule mit ein.

NOCH habe ich eine Chance, um die Sommerschule rumzukommen, und ich hoffe ECHT, dass ich es schaffe, denn ich habe überhaupt keine Lust, den ganzen Sommer lang auf Dennis Denards verschwitzten Rücken zu starren.

Donnerstag

Gestern habe ich bis abends um halb zwölf an meinem Wissenschaftsprojekt gearbeitet. Ich würde nicht sagen, dass ich damit den Nobelpreis gewinne, aber ich war stolz auf mich, weil ich es überhaupt ZU ENDE gebracht hatte.

Ich glaube, Mom war auch ziemlich froh. Aber als ich endlich fertig war, ging sie die Bedingungen durch, die Mrs Abbington uns geschickt hatte, und dort stand in dicken fetten Buchstaben, dass die schriftliche Ausarbeitung GETIPPT sein musste.

Mom sagte, es hätte keinen Sinn, sich zu beschweren, und ich müsste mich jetzt daransetzen, meine Ausarbeitung abzutippen.

Nur hatte ich meine Energie bereits VOLLSTÄNDIG verbraucht, also sagte ich Mom, dass ich jetzt schlafen ginge und extrafrüh aufstehen würde, um das zu erledigen.

Ich stellte den Wecker auf sechs Uhr, aber als ich heute Morgen aufwachte, war es zehn nach acht. Ich bekam echt einen Anfall, weil ich mich nicht erinnern konnte, auch nur EINMAL auf die Schlummertaste gedrückt zu haben.

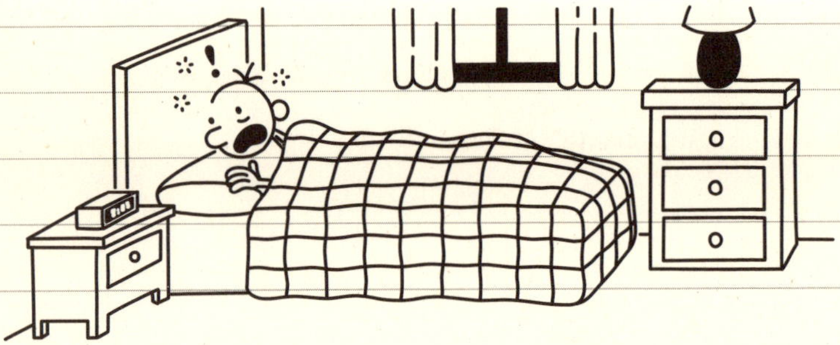

Ich wusste, dass ich in der Tinte saß, weil ich in zwanzig Minuten zur Schule musste und meine Ausarbeitung bis dahin auf KEINEN FALL getippt bekam.

Doch als ich nach unten ging, lag mein Projekt auf dem Tisch, und die Ausarbeitung war GETIPPT.

Einen Augenblick lang dachte ich schon, in der Nacht wäre die Wissenschaftsprojektfee gekommen und hätte etwas Zauberstaub auf die Seiten gestreut, doch dann begriff ich, dass MOM das Tippen übernommen hatte.

Ich ging zum Schlafzimmer, um ihr zu danken, aber sie war nicht ansprechbar.

Ich gab mein Projekt in der zweiten Stunde ab, und eine Riesenlast fiel von mir ab. Für den Rest des Tages fühlte ich mich sogar WOHL in der Schule.

Rupert dagegen ging es gar nicht gut.

In der Mittagspause schlich er mit benommener Miene herum, und ein- oder zweimal sah ich ihn in der Nähe der Finde-einen-Freund-Säule.

Ich dachte gerade darüber nach, zu ihm zu gehen, da kam mir Mr Nern zuvor.

Je mehr ich darüber nachdachte, desto deutlicher wurde mir bewusst, dass es für Rupert und mich wahrscheinlich sowieso besser wäre, wenn wir keine Freunde waren. Unsere Freundschaft war schon so lange ein ewiges Hin und Her, und genug ist genug.

Aber mitanzusehen, wie Rupert mit Mr Nern Dame spielte, machte mir echt ein schlechtes Gewissen.

Ich wusste nicht, was ich wegen Rupert machen sollte, also ging ich dorthin, wo ich sicher eine Antwort bekommen würde.

Auf dem Nachhauseweg machte ich einen Zwischenstopp an Omas Haus, um im Garten den Magic 8 Ball zu suchen. Ich wusste, er war kaputt, aber vielleicht konnte ich ihm doch noch eine letzte gute Antwort entlocken.

Es dauerte ganz schön lange, aber schließlich fand ich ihn in der Nähe des Feuerholzstapels.

Ich wollte mich gerade stark konzentrieren und meine Frage stellen, als ich etwas Grünes, Glänzendes bemerkte, das unter einem Holzscheit hervorguckte.

Der Magic 8 Ball war vergessen, und ich hob das Plastikei auf.

Ich schüttelte es ein wenig, und als ich das Geräusch hörte, wusste ich SOFORT, was drin war.

Ich konnte es nicht fassen, dass mich der Magic 8 Ball direkt zu Meemaws Diamantring geführt hatte. Vielleicht hatte er das Gefühl, dass er mir was SCHULDIG war.

Kaum war mir das klar, schossen mir eine MILLION Ideen durch den Kopf, was ich mir davon kaufen könnte, und die meisten drehten sich um einen Raketenrucksack.

Dann fiel mir jedoch ein, was Mom gesagt hatte; was passieren würde, wenn jemand den Ring wirklich FAND. Und obwohl ich ihn wahrscheinlich gut zu Geld machen könnte, ist die Familie ein zu hoher Preis dafür.

Also versteckte ich das Ei an einer Stelle, wo niemand es finden wird, jedenfalls nicht so bald. Aber falls ich jemals in echte Geldnot geraten sollte, weiß ich, dass ich zwischen Kitzel Nummer 4 und 5 immer etwas finden werde, das mir aus der Klemme hilft.

Montag

Der Magic 8 Ball eignet sich vielleicht, einem bei den kleinen Entscheidungen zu helfen, aber es ist wohl so, dass die GROSSEN mir selbst überlassen bleiben.

In der Mittagspause ging ich heute zum Ende der Schlange, wo Rupert saß, und fragte ihn, ob ich mich ZU IHM setzen könnte. Und fünf Sekunden später war es wie in alten Zeiten.

Ich weiß, dass Mom gesagt hat, Freunde kämen und gingen, aber die Familie hätte man für immer, und vielleicht stimmt das auch.

Aber die Familie ist nicht da, wenn Meckley Mingo einen auf dem Nachhauseweg von der Schule mit seinem Gürtel die Straße hinunterjagt.

Ich bin sicher, dass Rupert und ich uns in nicht allzu ferner Zukunft wieder tierisch verkrachen werden, und dann geht das ganze Theater von vorne los. Aber im Moment ist zwischen uns alles gut.

Zumindest, bis das JAHRBUCH erscheint. Aber ich denke, DAMIT können wir uns befassen, wenn es so weit ist.

Süßestes Pärchen
Rupert & Abigail

DANKSAGUNGEN

Ich danke allen wunderbaren Greg-Fans auf der ganzen Welt, für die ich diese Bücher schreibe. Ich danke euch, dass ihr mich inspiriert und mir die Kraft schenkt.

Ich danke meiner Familie für jahrelange Unterstützung und Liebe. Ich bin sehr glücklich, Teil eures Lebens zu sein.

Dank an alle bei Abrams, weil sie aus mir einen veröffentlichten Autor gemacht haben und sich solche Mühe geben, großartige Bücher herauszubringen. Dank an meinen Lektor Charlie Kochman für seine Leidenschaft und sein Engagement. Dank an Michael Jacobs, der Greg in immer größere Höhen trägt. Ich danke Jason Wells, Veronica Wasserman, Scott Auerbach, Chad W. Beckerman und Susan Van Metre für ihre Arbeit und ihre Freundschaft.

Danke an alle bei Poptropica, besonders an Jess Brallier, für eure Überzeugung, dass Kinder und Jugendliche gute Geschichten verdient haben.

Ich danke Sylvie Rabineau, meiner wunderbaren Agentin, für ihren Rat. Ich danke Brad Simpson und Nina Jacobson dafür, dass sie Greg Heffley auf die Leinwand brachten, und danke Roland Poindexter, Ralph Millero und Vanessa Morrison für ihre Hilfe, Greg Heffley auf andere Art und Weise zum Leben zu erwecken. Ich danke Shaelyn Germain und Anna Cesary, dass sie im Irrsinn verschiedener Vorhaben mit mir zusammengearbeitet haben.

ÜBER DEN AUTOR

Jeff Kinney ist Entwickler und Designer für Online-Spiele und stand mehrfach mit seinen Büchern auf Platz 1 der Bestsellerliste in der New York Times. Vom Time Magazine wird er zu den 100 einflussreichsten Menschen der Welt gezählt. Er ist außerdem Urheber von Poptropica.com, die vom Time Magazine in die Liste der 50 besten Websites aufgenommen wurde. Er hat seine Kindheit in Washington D. C. verbracht und zog 1995 nach Neuengland. Jeff ist verheiratet, hat zwei Söhne und lebt im Süden von Massachusetts.